新潮文庫

砂の器

上巻

松本清張著

新潮社版

2113

砂の器

上巻

第一章　トリスバーの客

1

国電蒲田《かまた》駅の近くの横丁だった。間口の狭いトリスバーが一軒、窓に灯を映していた。

十一時過ぎの蒲田駅界隈《かいわい》は、普通の商店がほとんど戸を入れ、スズラン灯の灯《あかり》だけが残っている。これから少し先に行くと、食べもの屋の多い横丁になって、小さなバーが軒をならべているが、そのバーだけはぽつんと、そこから離れていた。場末のバーらしく、内部《なか》はお粗末だった。店をはいると、すぐにカウンターが長く伸びていて、申しわけ程度にボックスが二つ片隅《かたすみ》に置かれてあった。だが、今は、そこにはだれも客は掛けてなく、カウンターの前に、サラリーマンらしい男が三人と、同じ社の事務員らしい女が一人、横に並んで肘《ひじ》を突いていた。

客はこの店のなじみらしく、若いバーテンや店の女の子を前に、いっしょに話をはずませていた。

レコードが絶えず鳴っていたが、ジャズや流行歌ばかりで、女の子たちは、ときどき、それに合わせて調子を取ったり、歌に口を合わせたりしていた。

客はみんな酔っていた。話の具合では、よそで飲んだかえりに、蒲田駅に降りて、ここに寄ったという様子だった。

「おめんとこの課長はよウ……」

男が連れに上半身をよせて言っていた。

「ありゃ部長のお茶坊主《ちゃぼうず》じゃねえか。しょっちゅうゴマすってるのをこっちから見ていると、ヘドを吐きそうだぜ。何とか言ってやったらどうだい」

「ありゃ取り巻きが悪いんだ。次長どもが課長をそう仕向けたんだからね。今さら言ったってしようがないよ」

連れのサラリーマンはコップをあおっていた。

「そいつがいけねえんだ。みんな笑ってるぜ」

「笑われるのは本人もとっくに承知だ。だが、そんなことにかまってちゃ出世はできないからな。自分の思いどおりに、恥も外聞《がいぶん》もなく、ゴマをするのが出世のコツだ。

腹ではどう思ってるかわからないがね。なあ、みっちゃん、そうだろう」

横の女の子に首をまわした。二十五六の女事務員は、もう、肩をゆらゆらさせていた。

「そうだわね。うちの部長は、局長が三年先に停年になるのまで、ちゃんと計算してるのよ。その下の次長連中がまた部長の後釜《あとがま》を狙《ねら》ってるってね」

「風が吹けば桶屋《おけや》が喜ぶ、か。出世型は、そこまでソロバンを弾《はじ》かねえといけねえようだな。まあ、こちとらには縁がない話さ。毎晩、こうして飲んでいるだけでご機嫌《きげん》なんだからな、哀れな話さ。そのかわり、おめえのとこを、毎晩、儲《もう》けさしてやってる」

客は、カウンターの中に目を向けた。

若いバーテンが笑って、

「毎度。おかげさまで」

と、四角張っておじぎをした。

「ところで、みっちゃん、おれの今月の前借は、まだ枠《わく》があるかい？」

「あら、とっくよ。だめだわ」

「やれやれ、今月も厚いのは伝票ばかりか。給料日に、すぐに翌月の前借をしに会計に駆けこむんだからな。先月なんざ千円札がたった一枚、伝票のかげにかくれていたよ。みっちゃん、今月も頼むぜ」

「いやな人。ここに来てまで、そんな寂しい話しないでよ」

このとき、入口のドアがあいて客の影が射《さ》した。

バーは、規則の許すかぎり灯を暗くしていた。それに客の煙草《たばこ》の煙が濃霧のようにこもっているから、ドアを押してはいってきた二人連れの男の顔は、すぐにははっきりわからなかった。

「いらっしゃいませ」

バーテンが、カウンターの中から目ざとく客をのぞいて、景気よく声を上げた。なじみの顔でないことだけはわかった。

「いらっしゃいませ」

女の子が、バーテンの声に振り向いて新しい客に言った。

居合わせた客のうち二人がその声でひょいと後ろを向いた。が、知らない顔だったので、また仲間同士の話に戻《もど》った。

はいってきた客は、一人はだいぶくたびれた紺の背広を、もう一人は、淡いグレイのスポーツシャツを着ていた。カウンターにうるさそうな先客がいるので、それを敬遠したのか、片隅のボックスを見つけて、そこに行きかけた。

すみ子という女給が、すぐに立って案内した。

このとき、客の最初の印象は、背広のほうは白髪《しらが》まじりの頭をしていて、五十年輩。スポーツシャツの男は三十歳ぐらいだった。もっとも、これはよく見たわけではなく、だいたいの年ごろがそういう感じだった。

すみ子は、おしぼりを二つバーテンからもらって、客席に運んだ。

「何を差しあげましょう?」

すみ子は注文をきいた。

若い男の方が五十年輩の男に、相談する目つきをした。

「そうだな」

「ハイボールにしよう」

半白頭の男が答えた。

このハイボールにしよう、と言った言葉の調子には、東京弁でないアクセントがあった。すみ子は、客が地方の人、それも東北の方だと瞬間に思った、とあとで警察に述べている。

すみ子は、ハイボールを二つ通した。

先客のサラリーマンたちの話は、映画の話題になっていた。それも、すみ子が好きな俳優の出ている映画なので、つい、その話に気を取られていた。ハイボールができるまで、常連客の話に横合いから一つ二つ口を出し、おもしろくなっていると、

「おい」

とバーテンが、小さな泡《あわ》を上げているグラスを二つカウンターの上に出した。すみ子は舌を出して、それを銀盆にのせた。

「お待ちどおさま」

すみ子は、ボックスに行き、一つずつ客の前にグラスを並べた。

このとき、二人はぼそぼそ話をしていたが、彼女が近づいたころには声を止めていた。

「君」

三十男は、横に腰をおろそうとするすみ子に手を振った。埃《ほこり》っぽい、くしゃくしゃの髪で、スポーツシャツの衿《えり》にも皺《しわ》が寄っている。

「話があるんでね。悪いが、遠慮してくれないか」

と彼は神経質な調子で言った。

「どうぞ、ごゆっくり」

すみ子はおじぎをしてカウンターに戻《もど》った。

「あちら、なんだかお話のようよ」

「そう」

朋輩《ほうばい》もちらりとボックスを見た。フリの客だし、あまり話のおもしろそうな男たちではないとみて、もっけの幸いで、常連客と映画の話のつづきにはいった。

「そこでよウ、あいつの芸はよウ、二三年前から……」

カウンターでは、映画の話からプロ野球の話にうつった。これはバーテンも好きとみえて、盛んに客の議論に加わっていた。

それで、ボックスの二人の客には、みなからあまり注意が払われなかった。女の子を寄せつけないで、いきなり密談にはいっているのも、なんとなく女給たちの気にくわなかった。女の子たちは、まるきり相手にしてくれない客よりも、常連の客とむだ話をしている方がよっぽどおもしろかった。

隅の客はまだ、話しあっている。その様子は、かなり親しそうだった。

それでも、商売意識から、女の子たちは、ちらちらとボックスの方を眺《なが》めた。つまり、グラスの酒が空《あ》いたのではないかという心配からだったが、何度眺めても、テーブルの上の黄色い液体は半分残っていた。景気の悪い客なのである。

ボックスの手前に、トイレに行く入口がある。店の女給も客も、そのために、とき店の女給も客も、そのために、ときどき、ボックスのわきを通った。

これは、すみ子がその横を通るとき、ちらりと耳にしたのだが、言葉の調子がやはり東北弁だった。濁音の多い訛《なま》りが耳につく。若い方はそうでもないが、半白頭の人物の発音はひどかった。

二人の話の内容はわからない。ただ、すみ子が、通りがかりに、ちらりと耳にしたのは年下の男の、

「カメダは今も相変わらずでしょうね?」

という言葉だった。

「いんや、相変わらず……。だが、君に会えて……こんな嬉《うれ》スいことはない……大いに吹聴《ふいちょう》する……みんなどんなに……」

年上の男の声は、切れ切れにしか聞きとれない。

だが、すみ子は、それを聞いて、二人は古い知りあいで、しばらくぶりで出会ったのだと思った。カメダというのは二人の共通の友人なのであろう。このことは、あとで警視庁の捜査員に話したことである。

この年輩の客が東北弁を話していたということの印象は、ほかの客たちも同じだった。手洗いに通るたびに、ひそひそ話の片言が耳に触れる。

しかし、むろん、だれもこの二人に興味を持っていなかった。それに、自分たちの話題の方がはるかにたのしい雰囲気《ふんいき》を作っていた。いわば、片隅の二人の男は、店の者からも、先客からも、まったく無視されていた。

「おう、もうすぐ十二時か」

客の一人が腕時計を見てつぶやいた。

「そろそろ、腰を上げよう。まもなく終電だ」

「あら大変」

と、女事務員が言った。

「終電になったら困るわ。駅から家まで十分もかかるんですもの」

彼女はだるそうな声で言った。

「いいよ、もう少し落ちつきな。遅くなったら、おれが送ってやってもいいぜ」

「あんたなんかに送ってもらったら、迷惑よ」

女が酔った声で言い返した。

「兄さんが駅まで来てるわよ」

「へーんだ。どんな兄さんかわかるもんか」

「失礼ね。あんたと違うわよ」

「はは、やられてるじゃないか。まあ、みっちゃんにはおとなしくした方がいいよ。なにしろ、月末にはいつもお世話になるからね」

「あら、いやな言い方をしないでよ」

その話の途中だった。

「おい、勘定」

ボックスの二人が立ちあがるのが見えた。

トリスバーを出た二人の男は、それからどこへ行ったか――

それには、目撃者がないではなかった。

おりから通行中の流しギター弾《ひ》き二人が、彼らと行きあっている。ちょうど、バーから五六メートルのあたりですれ違ったのである。

流しのギター弾きは、この辺の飲み屋やバーを顧客《とくい》としていた。

なぜ、彼が二人の客の行方を注目したかというと、そのトリスバーで稼《かせ》ぐつもりだったのに、客が出て行ったので、思わず舌打ちしたのであった。

「なに、あんな客は歌の注文なんかしやしないよ」

ギター弾きの兄貴分が言った。

「あんまりヒンがよくないからな」

ヒンとは服装の隠語だった。彼らの商売では、まず、ヒンの良し悪《あ》しが関心事となる。

「そうかい」

弟分の方は、暗い所で会ったため、気づかなかったので、その言葉で思わず後ろを振り向いた。

そのときは、客の姿はかなり離れたところを歩いていた。

この細い道は、十メートルほど先で二つに分かれている。右に行けば大通りとなり、賑《にぎ》やかな商店街に出るのだが、左に行くと蒲田駅の構内の柵《さく》沿いとなる。

こっちの道はひどく寂しくて人通りがない。有刺鉄線の柵がしてあるが、まだ、空《あき》地《ち》に草が伸びていたり、人のいない小屋があったりして、深夜などは女ひとりでは歩けないくらいだった。外灯もまばらで、何が出てくるかわからないような場所だ。その先に行くと、電車の操車場があった。

二人の客は、その左手の道を曲がったのである。

かなり遠くなったので、ギター弾きの、いわゆるヒンは、さだかには判別はできなかったが、そのような不景気な道を歩いて行くくらいだから、たいした客でないと思った。

「その二人の様子は親密そうだったかね。それとも、喧嘩《けんか》でもしているようなふうだったかね？」

事件が起きてから、捜査本部の係官は、ギター弾き二人にきいている。

「いいえ、別に、喧嘩しているようでもありませんでした。何かお互いに話しあっているようでしたが、その話の内容はわかりません。まあ、親しかった方だと思います」

「その二人の言葉には、何か、特徴がなかったかね？」

「そうですな、東北弁の訛りだったように思います」

「それは、どっちの方だったかね。年寄りの方かね、若い方だったかね」

捜査員はきいた。

「さあ、暗くて顔がはっきりわかりませんが、左の方にいた人だと思います。その人は、背が低かったようです」

背の低いのは半白頭の方だった。

それが五月十一日の晩だった。

2

蒲田駅発京浜・東北線の始発は、午前四時八分である。電車を動かすためには、運転手と車掌と検車係とが三時過ぎには宿直室から起きて、電車の置いてある操車場に行くのである。

電車は広い構内に無数に並んで置かれてある。五月十二日の午前三時は暗くて寒かった。

検車係は若い男だったが、最後部の七両目の車輪に懐中電灯の光を当てて、棒立ちになった。

彼は息をのんでそこに立っていたが、突然、両手を振って走りだすと、おりから、送電したばかりの運転台に立っている運転手の所に転げこんだ。

「おい、マグロがあるぞ」

彼はうわずった声で叫んだ。

「マグロ？」

運転手はぎょっとなったが、やがて笑いだした。

「おいおい、まだ車は動かしていないぜ。マグロもないものだ。寝ぼけ眼《まなこ》で何を見たのだ。しっかりしろ」

マグロというのは、轢殺《れきさつ》死体のことである。運転手が言ったのは理屈だった。ようやくパンタグラフを上げて、エンジン始動の音を聞いたばかりである。

「いや、見間違いなもんか。確かにマグロが転がっている」

検車係は蒼《あお》い顔で主張した。運転手も、ちょうどそこに来合わせた車掌も、とにかく、検車係の言う現場まで行ってみることにした。

「あれだ」

七両目に来て、検車係は遠くの方から懐中電灯を車の下にさし向けた。その光の中に、たしかに、真赤になった人間らしいものが、車輪のすぐ前のレールに横たわっていた。

運転手がかがみこんで奇妙な声をあげた。

「うわあ、凄《すご》い」

車掌は叫んだ。

三人は目をじっとその物体に注いだまま、しばらく動かなかった。

「すぐ警察に知らせよう。時間が迫っているからな」

さすがに車掌だった。始発の四時八分にあと二十分しかなかった。

「よし、おれが知らせよう」

運転手は駆けだして、遠くに離れている事務所に向かった。

「朝っぱらから縁起でもないな」

いくらか落ちつきを取り戻した車掌はぼやいた。

「どうしたんだろう? 車はちっとも動いてないぜ。それなのに顔は血で真赤だ」

この操車場には、電車が無数に並んでいるが、始発の電車は、柵に一番近い所だった。隣の電車との間は一メートルぐらいしかない。その死体は柵とは反対の電車がわに脚の先があった。

構内には、外灯が高い柱の上についている。男の死体のあった所は、その光が電車で遮《さえぎ》られた暗い部分になっていた。これは、あとで犯行の理由を推定する一つの材料となった。

車掌も検車係も足踏みしながら、事務所からだれか来るのを待った。足踏みしているのは寒いためではなかった。

少し夜が明けかけて、空の端が薄白くなってきた。

無数の灯《あかり》が向こうから動いてきた。知らせを聞いた事務所の連中がやってきたのである。

懐中電灯をさげてきた事務所の連中の中に、当直助役がいた。

「ほう」

助役も車体の下をのぞきこんで、目を見はった。進行中の電車が人間を轢《ひ》く例は多いが、操車場に置いてある電車の下に、死体が横たわっているのは、はじめての経験だった。

「すぐに警視庁に連絡してくれ。ほかの者は、死体のそばに近づかないように。それから始発の電車は二〇八号を使うことにする」

責任者の助役は、当面の処置をとった。

「しかし、ひどいことをするなア」

ほかの連中は中腰になって、車輪をのぞきこんでいる。

男の顔は血で真赤になり、赤鬼の顔を連想させた。

もし、この死体に気がつかないで、そのまま発車したら、顔が車輪でつぶれるところだった。つまり、死体の顔は線路を枕《まくら》に仰向けにしてあった。

したがって、太股《ふともも》の方は、もう一つの軌条の上にかかっている。電車が動けば、顔と両脚のつけ根が切断される姿勢になっている。

あたりが白くなって、警視庁から、係官が急行してきたときは、操車場に立っている外灯の光も消えていた。

到着したのは、捜査一課の黒崎《くろざき》一係長だった。捜査員や鑑識課員が七八人加わっていた。

それに、警視庁詰めの各社記者が五六人ついてきていた。もっとも、記者の方は、現場からかなり離れたところに追っ払われていた。

電車は、七両目だけを残し、異常のない六両は、その連結のまま切りはなして、操車場から出発させた。だから、事故の車両だけが一台、ぽつんとそこに残った。

それを中心に鑑識課員が、しきりと立ち働いていた。写真を撮ったり、見取図を書いたり、この操車場一帯の地図を事務所から借りてきて、赤線を引いたりしていた。

ひととおり状況が記録されると、死体が車両の間からひき出された。

顔は、めちゃくちゃに潰《つぶ》されていた。鈍器ようのもので激しく殴打されたらしく、眼球がとび出しそうになり、鼻はつぶれ、口が裂けていた。半分白髪《しらが》の髪も血だらけである。

鑑識課員はすぐに検視にかかった。

「この仏は新しいぜ」

課員がしゃがんで言った。

「そうだな、死後推定三四時間というところかな」

鑑識課員が、死後推定時間を三四時間と言ったのは、だいたい解剖の結果も間違いなかった。

解剖は、その日の午後、R大学法医学部でおこなわれた。

その解剖所見は、次のとおりである。
○年齢五十四五歳ぐらい。やや痩《や》せている。
○死因、扼殺《やくさつ》。
○顔面のほとんどにわたり創縁挫創《ざそう》が無数にある。さらに、手足の各部分にわたって、表皮剝脱《はくだつ》を伴う傷挫創があり、各部分にはミミズ腫《ば》れがある。
○胃の内容。淡黄褐色《おうかっしょく》のやや混濁液（酒精分を含む）がある。やや未消化のピーナツを混ず。
○混濁液は、約二〇〇ｃｃ。化学検査により睡眠剤を検出。
○以上を総合して、被害者は、ウィスキーに混ぜた睡眠剤を飲み、そのあと扼殺され、さらに、攻撃面鈍なる凶器（たとえば石、金鎚《かなづち》など）にて強力に殴打されたるものと認む。

○死後経過三時間ないし四時間。
　解剖所見に記載された凶器の推定は事実と間違いなかった。

　捜査班は、その現場付近一帯を捜索した。道路と操車場の間には小さな溝《みぞ》がある。凶器の石を、その溝中から拾い上げたのだ。

　石には泥《どろ》がいっぱい付着していたが、それを洗うと、わずかに血痕《けっこん》が残った。溝の中に落ちていたため、血痕の大部分が流れ、さらに泥を洗ったため付着血痕が少なくなったのである。この血痕は被害者の血液型と一致した。

　石は直径十二センチの大きさだった。

　被害者の手足に無数の擦過傷《さっかしょう》がついている理由は、すぐにわかった。それは、道路に面した操車場の境界の棒杭《ぼうぐい》に有刺鉄線が張ってあるが、その一カ所だけ鉄線が切られている。だが、これは、前から子供などが出入りしていて、いつか切断されたもので、いわば、いたずらものの侵入口になっていた。

　それでもそこには鉄線が残っているので、たぶん、被害者を道路から操車場に引きずりこむとき、手足に刺《とげ》が刺さり、それによって生じた擦過傷と思われた。

　解剖所見にもあるとおり、被害者は、ウィスキーに混ぜた睡眠薬を飲まされている。したがって、被害者が睡眠に陥って無抵抗になったとき、犯人は被害者の頸《くび》を絞め、道路から操車場の中に引っぱりこんだと思われる。さらに付近にあった大きな石ころで被害者の顔面をめった打ちに殴り、それから、死体を引きずって始発電車の最後部の車両の下に入れたものと考えられた。

被害者は、髪が半分白髪だった。年齢五十四五歳ぐらい、身長一メートル六〇、体重五二キロぐらいで、栄養は良好だった。

服装は背広だが、これは、下着やワイシャツと共に上等な品ではなかった。職業からみると、一見、労働者ふうといったところだった。警察は所持品を調べた。身もとの知れるようなものは何もなかった。洋服にもネームはなく、ワイシャツ類にも洗濯《せんたく》屋の記号がなかった。

死体発見当時から、死後経過三時間ないし四時間というと、前夜の十二時から午前一時ごろである。

現場付近は、その時刻、人どおりが絶えている状況からみて、被害者は加害者といっしょにその付近を通りかかって、現場の操車場の中に連れこまれ、そこで扼殺された。または他の場所で扼殺され、自動車で運ばれたかである。

それは、被害者がウィスキーといっしょに睡眠薬を飲んでいるからだ。つまり、被害者は、犯人によって睡眠薬を飲まされて眠り、扼殺された上、自動車で運搬されたという推定だ。この見方は、一時、捜査本部に強かった。

いずれにしても犯人は扼殺のあと、現場付近の石で、めった打ちに被害者の顔面を殴っている。

これについては、怨恨《えんこん》説が有力だった。扼殺したのだから、それで目的を遂げたはずなのに、さらに顔面をめった打ちにしたのは、よほど被害者に恨みがある人物の凶行と思えた。

しかし、死体が電車の車輪の下に、顔を仰向けに寝せてあるところなどは、被害者の身もとをわからないようにするため、顔を完全に破壊する意図が犯人にあったように受け取れる。

つまり、犯人は電車が動きだすと、そのまま顔が潰れるように仕掛けているのだ。だが、この犯人は電車が動きだす前に、検車係が、一応、車体を検査してまわることには、気がつかなかったらしい。

それと、操車場には、いつも外灯がついている。犯人は被害者をその光の届かない電車と電車の陰の部分にわざわざ置いている。これは、通行人に発見されないための処置のようだった。被害者の洋服に、ネームのないのは、それが安物の出来合いだからだが、ワイシャツについているはずの洗濯屋の印さえないのは、ふだん、クリーニングに出していないで、家庭で洗っている人間だからだ。つまり、それほど経済的に余裕のない生活者のようだった。

この点から、この犯行は強盗ではなく、顔見知りの人間の怨恨による凶行説と捜査本部で決定された。痴情関係のもつれかどうかは、まだわからない。なにしろ、被害者の身もとを知ることが第一だった。捜査員たちは、蒲田駅を中心に聞込みにまわった。すると、捜査員の一人が、駅付近の、あるトリスバーから、前夜、被害者らしい人物とその連れの客があったことを聞きこんだ。

トリスバーの従業員の話によると、その二人は、この店にははじめての客だという。それで、捜査本部ではトリスバーの従業員と、ちょうど、そこに来合わせていた客の会社員を本部に呼んで、くわしく事情を聴取することにした。

彼らの話によると、その被害者らしい男が連れの男とバーにはいってきたのは、午後十一時半ごろである。それは三十分後に出る目蒲《めかま》線の終電のことを、女事務員が気にしていたので、はっきりしているという。

その客二人の人相はよくわからない。一人は確かに頭が半分白かった。一人は、三十歳ぐらいだった。ところが、この若い方の年齢については、三十歳という者もあれば、四十歳ぐらいだという者もあり、もっとずっと若く見えたという者もいた。

捜査本部が、バーの従業員や、当時居合わせた客、それに、バーの外ですれ違ったギター弾きなどを証人として事情を聞いたとき、全部が一致して言ったのは、被害者に東北弁の訛《なま》りがあったことである。

これは、被害者の割り出しに躍起となっている捜査本部に、一つの手がかりを与えた。

「東北弁というのは、どうしてわかりましたか？」

係官はきいた。

「年輩の客が話していたのは、たしかにズーズー弁でした。話の内容は、はっきりとわかりませんが、言葉の調子がそんな具合でした。若いかたの言葉は標準語のようでしたが」

話の内容がわからないことは、証人たちの全部が同じだった。

ただ、バーの中では、従業員も客も、時おり、手洗いに行っている。

その二人が腰掛けた所は、トイレの入口の扉《とびら》の横にあるボックスだった。だから、トイレに出入りするたびに、そのボックスのそばを通らなければならない。自然と話の断片が小耳にはいったのである。

「カメダは今も相変わらずでしょうね？」

被害者の連れは、被害者にそう東北訛りできいた、とバーの女給の一人が話した。

これは、すみ子だけでなく、もう一人の女給も小耳に挟《はさ》んでいた。

つまり、その二人は、しきりと「カメダ」という名前を話題にしていたのである。

「カメダ」というのは何だろう。

係官の間には、これが異常な関心となった。彼らの話のなかで具体的に名前が出たのは、これだけである。

「カメダは、二人の共通の友人の名前だろう」

と、推定の意見を出す係官がいた。だいたいこれは皆の賛成を得た。

つまり、被害者と加害者とは前からの知合いであり、最近、しばらく、この二人は会わなかった。それが偶然に、久しぶりに会ったため、つい、手近なバーに立ち寄った。そうして、その「カメダ」という友人の話が出たのであろう。

そうなると、半白頭の被害者の方が、最近「カメダ」という人物に会ったか、あるいは、交友関係を持っていて、被害者の連れの方、つまり、若い方の男は「カメダ」にしばらく会っていない、という推測がなりたつのである。

だから、若い方の男は被害者に「カメダ」は今も相変わらずかと、消息をきいたのであろう。

このように、それを重要な問題としたのは、被害者と連れだって、そのトリスバーに来ていた若い方の男が、犯人か、あるいは、その犯行に関係のある人物、と目されたからである。

そのほか、客が彼らの話から小耳に挟んだ片言は「なつかしい」とか、「どうもその後は思うようでない」とか、「近ごろはようやくこの生活にもなれてきた」とかいった意味のものであった。これはおもに被害者の方のズーズー弁の発言で、その連れの男の言葉はほとんど聞かれなかった。

というのは、ひどく小さな声でぼそぼそと話していたからである。

それに、意識的にかどうか、そこの人がトイレに行くため、そばを通るとき、なるべく顔をかくすようにしていた。

ただ、その男から聞いた唯一《ゆいいつ》の言葉は、女給が述べたように（カメダは今も相変わらずでしょうね？）というのだけだった。

物盗《ものと》り説は完全に消え、怨恨説にかたまった。

「被害者は五十四五歳ぐらい。労働者ふう。東京に原籍地はないが、東京で働いている者。出身は東北地方、そして『カメダ』という人物を知人に持っている男」

これが、捜査本部が作った被害者の人間像だった。

被害者が、一見、労働者だという推定から、都内の安アパート、安宿などを中心に、聞込みを行なうことにした。

夕刊には、この事件が大きくのったので、もし、被害者の家族があれば、すぐに届け出があるはずだった。だが、それは、その後、二日経《た》っても、どこからも届け出はなかった。

また、被害者らしい人間を知っているという者の届け出もなかった。

当人が蒲田駅の近くのバーで飲んでいるところから、被害者は蒲田駅を中心にそれほど遠くない場所に住んでいるという推定は容易だった。それで、本部はおもに大田《おおた》区内の捜査に当たった。

だが、これはめぼしい成果はあがらなかった。

「蒲田駅前のバーで飲んだからといって、必ずしも、その付近に居住しているとは限らないだろう」

という意見を出す係官もいた。

「蒲田駅は、国鉄も通っていれば、目蒲線、池上《いけがみ》線の分岐点でもある。それで、被害者は目蒲線や池上線の沿線に住んでいることも考えられるよ」

それももっともな意見だった。そうなると、捜査範囲をずっと拡大しなければならない。

「しかし、国鉄は、横浜桜木町駅《よこはまさくらぎちょう》から埼玉県大宮《おおみや》まで往復している。だから、必ずしもその二つの私鉄沿線とは限らないと思うよ」

と、新しい意見を出すものがいた。

これだと桜木町から大宮までの間の沿線が全部はいることになり、捜査範囲は拡大するわけだった。

「それも理屈だが」

と、係長は言った。

「国鉄沿線というよりも、やはり、蒲田駅が二つの私鉄の分岐点ということに着眼した方が、自然ではないかね。当人たちが、トリスバーに寄ったのが夜の十一時半ごろなのだから、やはり、二つの沿線の居住者と考えた方がいいようだ。現に、証言しているバーの客は、終電車に近い電車で帰るつもりでいた沿線のサラリーマンだった。同じようなことが、その二人についても言えるのじゃないか」

意見は、ひとまず、それにまとまった。

「いろいろ、目撃した証人の話を聞くと、被害者は東北弁を話していたが、加害者は、ほとんど、ものを言わなかった。加害者の言葉の方はどうなんだろうね？」

「いや、それは、被害者の連れ、つまり、加害者と目される男が、例のカメダのことを、相手にきいています。『カメダは今も相変わらずでしょうね？』というのは標準語ですが、アクセントにわずかに東北ふうの感じがあった、とそのトリスバーの女給は証言しています。話の調子からみても、この二人は東京での知合いではなく、東北地方の同郷の者と思われますが」

係員の一人がそう言った。

3

被害者は、五十四五の年輩で、労働者ふうである。それも日雇い人夫らしいと捜査本部では見当をつけた。

そのときいっしょにいた男は、やはりその種類の職業の男であろうとも推定した。トリスバーに飲みに来るくらいだから、それほど裕福な生活をしている男とは思われない。

とにかく、手がかりは「カメダ」である。

「カメダを探せ、か」

捜査員の一人が言った。

実際、「カメダ」を探せば、この被害者も、犯人も、身もとがわかるのである。「カメダ」はおそらく「亀田」であろう。しかし、「亀田」姓は、東北でも多いにちがいない。いちいち、「亀田」姓の人間を拾い出して、それから手繰《たぐ》ってゆくのは困難だった。

しかし、ほかに思わしい手段がなかったら、この煩瑣《はんさ》な方法をとるよりほか仕方がないようである。

捜査本部では、警察庁の東北管区に依頼して、青森、秋田、岩手、山形、宮城、福島の各県の警察署管内から「亀田」姓を、探し出してもらうことにした。

これで集まったリストのたくさんな「亀田」某を、片端から洗ってゆくよりほか仕方がないようである。

この方法は、かなり時日がいるし、わずらわしくはあるが、唯一の確実な捜査方法だった。

この場合、大切なのは、果たして、その男が言った言葉が「カメダ」に間違いなかったかどうかである。もし、それが聞き間違いであれば、とんでもないむだ骨を折らせられることになる。

「確かにカメダと言いましたね?」

と、捜査本部では念のために、さらにバーの証人たちにきいている。

「はい、確かにカメダという言葉だったと思います」

と、女給たちは答えた。

「カメダ」を聞いた者はほかにもある。客の一人も聞いたし、また、バーテンもそれを小耳にはさんでいる。

そのいずれもが、「カメダ」と聞こえたと思います、と答えた。

ここで困ったことは、どの証人も、はっきりと被害者の連れの男の人相を記憶していないことだった。年齢からして、三十歳ぐらい、四十歳ぐらい、さらにもっと若い、とさまざまである。

人相がわからないというのは、一つは、その男が意識的に顔を皆からそむけていたことに原因するようだった。事実、その晩、バーの客と女給たちが映画の話などしておもしろがって、あまりその二人に注意をはらわなかった。そのためでもあるが、二人の客、とくに被害者の連れの方が意識して顔を隠していたと思えるフシがある。

このような点からも、その相手が犯人と断定しうるし、また、犯行を計画していたと推定されるのであった。

もし、その男の人相がはっきりしていれば、目撃者の供述に従って、モンタージュ写真を作成することもできる。だが、だれにもはっきりとした顔の憶《おぼ》えがないのだから、モンタージュ写真作成も不可能であった。

事件発生後、一週間経った。

被害者の身もとはいっこうにわからなかった。本部は目蒲線沿線、池上線沿線の聞込みに主力をそそいだ。

被害者が日雇い労働者ふうのところから、沿線各区の職安の登録名簿も調べた。亀田姓はなかった。

さらに、被害者が住んでいそうな安アパートや下宿屋も手をつくして探した。だが、該当者はなかった。

事件が起こって、一週間経ってもまだ被害者の身もとがわからない。犯人の方も目星がつかなかった。

捜査本部の方針としては、最初からすぐにホシが割れるとは思っていなかった。目撃者はトリスバーの者と流しのギター弾き以外に現われていない。

本部の見込みでは被害者の惨殺《ざんさつ》状況からみて、加害者もかなりの血を浴びているという推定だった。だから、当夜、それらしい人物が乗った形跡はないかと、都内の各タクシー会社に手配したが、これも、さらに手がかりはなかった。

また、犯人はその凶行を終わったあと、深夜にひとり歩きしては、当然、怪しまれるので、どこかに潜伏し、血のついたズボンや上着を洗い、夜明けを待ち、それから早朝の電車で逃走したという見込みもつけた。電車の車掌について調べたが、これも、それらしい人物が乗っていたというような言葉は得られなかった。

さらに、現場付近を中心にして、土地の捜査を行なった。それは、その付近にかなりの空地《あきち》が散在して草地になっている。推定は、犯人が凶行をすませたあと、これらの草地の中に一時身をひそめていたのではないかというのである。

そこで、それとおぼしい地点を、シラミつぶしに捜索したのだが、別に、事件に関係のありそうな遺留品は見当たらなかった。

わかっているのは、その晩、操車場でこの惨劇が行なわれたというだけで、そのあとの形跡は霧のように消えてしまったのである。

こうなると、どうしても被害者の割り出しに全力を注がなければならない。被害者と加害者とは、顔見知りであり、交友関係があった。

一方、捜査本部が警察庁の東北管区警察局に依頼しておいた「亀田」姓の回答は、そのころになって、ぼつぼつと集まった。

「亀田周一、亀田梅吉、亀田勝三、亀田亀夫、亀田良介、亀田薩夫、亀田正一、亀田栄、亀田国夫、亀田太郎、亀田陽太郎、亀田……」

東北各県からぞくぞくと「亀田」が集まってきた。

場所もさまざまだった。

「福島県信夫《しのぶ》郡飯坂《いいざか》町、福島県会津《あいづ》若松《わかまつ》市、福島県安達《あだち》郡東和《とうわ》村、宮城県石巻《いしのまき》市、宮城県柴田《しばた》郡村田《むらた》町、宮城県黒川《くろかわ》郡富谷《とみや》村、山形県山形市、山形県東村山《ひがしむらやま》郡豊栄《とよさか》村、岩手県陸前高田《りくぜんたかだ》市、秋田県南秋田郡昭和《しょうわ》町、福島県……」

本部では、これらについて所轄《しょかつ》警察署に依頼し亀田という人物を中心に調査してもらうことにした。

総数三十二名にのぼる「カメダ」が、東北各地方から集まった。

捜査本部では、これに対していちいち、地元警察署に照会を頼んだ。その回答は続々とあった。全部を完了したのは五日目だった。

回答のいずれも「心当たりなし」だった。三十二件のカメダの家族、親戚《しんせき》、知人、友人は被害者に心当たりがないというのだった。

顔は石で潰《つぶ》されていたが、完全に破壊されていたのではない。それで、かなりな程度に復原されて、写真をくばったのである。

「困ったな」

会議の席で、捜査主任は顔を曇らせた。

「東北地方と、われわれが限定したのがまずかったかもわからない。共通の友人カメダは何も東北地方の人間とは限らない。あるいは東京の者かもわからないし、西の方に居住している人かもしれない」

それは、捜査主任の言うとおりだった。

これまで、東北弁を話していたことから、カメダも当然、東北地方にいるか、あるいは、その出身者と考えられていたが、それ以外の地方の人間かもしれないのである。この事件の新聞報道には、カメダのことも記事になっていた。それをもっと新聞紙面で強調してもらい、全国の「カメダ」氏から情報を寄せてもらうことに決めた。

これ以外に当面の手はなかった。最初、捜査本部では気負いこんで「カメダ」にしぼったのだが、まず第一回は失敗であった。

一方、被害者と犯人との足取りは、依然としてわからなかった。

重点は、被害者が蒲田駅前のトリスバーに現われるまでの足取りにおかれた。だが、これも最初の捜査と同じように、いっこうに発展がなかった。

刑事たちは、連日、重い足をひきずって聞込みにまわった。彼らが捜査本部に帰ったときは、いずれも疲れきった顔をしていた。

何か獲物《えもの》があると、どのように疲労していても、顔色が輝いているものだが、何もないと、しなびたような元気のない顔になる。要するに捜査は困難な状態から、悪くすると迷宮入りになりそうな様相を呈してきた。

刑事の今西栄太郎《いまにしえいたろう》も、その疲労した一人だった。四十五歳の彼は、捜査本部に帰って、お茶を飲むのも何か気がねのようだった。

今西の担当は、主として池上線沿線の安アパートや安宿などの聞込みだった。彼は事件が起きて、もう十日もこの方面ばかりを歩いていた。

その日も何もないままに、ぼんやりと本部に帰ってきた。

それからすぐに会議である。出先の捜査員たちが持って帰った材料を主として検討するのだが、今日もめぼしいものは何もなかった。会議の空気は、焦燥《しょうそう》と疲労だけである。

それが連日のようにつづくと、懶惰《らんだ》に似たものが疲労の上に、滓《おり》のようにおりてゆく。

今西栄太郎が自分の家に帰ったのは、夜の十二時近くだった。

狭い玄関の格子戸《こうしど》は、内側から灯《ひ》を消している。今夜も彼が帰らないと思ったのか、錠が掛けてあった。彼は格子戸わきのブザーを押した。

しばらくすると、内に灯がつき、妻の影がガラス戸に射《さ》した。

「どなた？」

妻は格子戸越しにきいた。

「おれだ」

外に立って、今西は応《こた》えた。

格子戸が開いて、妻の芳子《よしこ》が顔を出したが、灯《あかり》で肩だけが明るかった。

「お帰んなさい」

今西は黙ってはいり、靴《くつ》を脱いだ。靴の踵《かかと》もこの三四日で急に減ってしまって、靴脱ぎの上で傾いた。

二畳の玄関からすぐに四畳半にはいった。布団《ふとん》が三つ敷いてあって、眠った男の子の顔がその中にあった。今西栄太郎はしゃがんで、十歳になるその子の頬《ほ》っぺたを指で突っついた。

「だめですよ、起こしては」

妻が後ろから咎《とが》めた。

「十日もつづけてこの子の起きている顔を見ないと、ゆり起こしてでも話をしたくなったよ」

「明日もお帰りは遅いんですか？」

妻はきいた。

「どうだかわからない」

今西は諦《あきら》めて子供の枕《まくら》もとから立ち、次の六畳の座敷にすわった。

「少し召しあがるでしょ？」

妻はきいた。

「夜食だから、お茶《ちゃ》漬け程度でいい」

今西は足を畳に投げ出して言った。

「一本つけますよ」

妻は笑いながら台所におりた。

今西は、すぐ着替える気持ちにもならず、そこに腹ばって、新聞などひろげていたが、いつのまにか目を閉じた。耳もとでは台所の方の音が、微《かす》かに聞こえてはいたが、つい、うとうととした。

「さあ、できましたよ」

妻がゆり起こした。

見ると、お膳《ぜん》が出ていて、燗《かん》びんがのっていた。眠った間に妻が毛布を掛けてくれている。それをのけて、今西は起きあがった。

「お疲れになったのね」

妻は銚子《ちょうし》を取って言った。

「くたびれた」

「よくやすんでいらしたけど、せっかくですから」

妻は盃《さかずき》に銚子を傾けた。今西は指で目をこすった。

「うまい」

今西は盃を飲み干して、びん詰の塩辛《しおから》を突っついた。

「どうだ、おまえもひとつ」

その盃を妻に渡した。

妻はかたちだけ飲んで、すぐに返した。

「まだ片づかないんですか？」

ときいたのは事件のことである。蒲田の事件が起こって以来、今西が、捜査本部詰めとなり、連日のように遅く帰っているので、その疲労を気づかう顔だった。

「まだまだ」

今西は次の酒を口に含んで顔を横に振った。

「新聞には、いろいろ出ていますわ。長引くんでしょうね」

事件の解決よりも夫の疲れの堆積《たいせき》を気づかっていた。

芳子が今西を見上げて言った。

「新聞にはカメダという人を探していると、書いてありますね。殺された人と犯人とが、そのカメダという人を知っているように、記事にはあるんですが、まだわかりませんか？」

妻は、めったに事件のことを今西にきかなかった。今西も仕事のことはなるべく家に帰って言わないことにしている。

だが、いま芳子がそう言うのは、彼女が新聞記事などから、よほど興味をそそられているらしかった。

「うむ」

今西は口の中で生返事をした。

「これだけ、新聞で騒いでいるのに、どうしてわからないのでしょうね？」

今西は、それにも返事をしなかった。どのような事件でも、家族とはその話をしたくなかった。

いつか、ある事件が起こって、妻がしつこくきいたことがあった。今西は、そのとき、捜査事件のことには口を出すな、と叱《しか》ったものだ。

それ以来、芳子は控え目にしているが、今度の事件ばかりは、つい、そのことを忘れたようだ。

それでも、夫があまりいい返事をしないので、

「カメダという名前は多いんですか？」

と、彼女は遠慮そうにきいた。

「さあ、わりと少ない方じゃないかな」

今西は自分の疲れをねぎらって、銚子をつけてくれた妻の心づくしを考えて、さすがに、叱ることもできなかった。

それで、やはり、煮えきらぬ答え方をした。

「わたし、今日、そこの魚屋さんに用事があって寄ったので、電話帳を借りて見たんです。すると、カメダという名前は、東京の電話帳には百二軒あるんですよ」

彼女は話した。

「百二軒というと、あまり多い方でもありませんが、そう少ない方でもありませんわ

ね」

「そうかな」

今西は、二本目の銚子に手をつけながら、口の中で言った。

それは、仕事の内容を話したくない気持ちもあったが、もう、カメダの名前はたくさんだった。

カメダを探すために、本部がどれだけ苦労しているかわからないのだ。また、彼も被害者の写真を持ちあるいて、池上線沿線の安宿や安アパートを足を引きずって回っているのだ。

今夜は、ただ、何も事件のことを考えないで眠りたかった。

「少し、酔ったかな」

実際、体の中が熱くなっていた。

「お疲れになっていたのね。だから、まわりが早いんでしょう」

「これ一本で飯にしようか」

「なにもありませんわ。今夜、お帰りになるかどうか、わからなかったので」

「いいよ」

妻はまた、台所に行った。

頭が少し軽くなったようだ。

「カメダ、か」

今西は、自分で気づかずに思わず口に出た。

やはり、気にかかっているのだ。酔ったとは思わないが、二三度、つづけて呟《つぶや》いた。

4

今西栄太郎は、その朝は、少し寝坊した。

連日、遅くなったり、本部の方に泊まったりしたので、交代で、その朝はゆっくり出勤してもよかった。

起きあがったのが九時近くだった。子供は学校に行って、いなかった。

顔を洗って食事についたが、久しぶりに熟睡したので、疲れが、かなりとれていた。

「今日は、何時までに行けばいいのですか?」

妻は、ご飯をよそいながらきいた。

「十一時までに顔を出せばいい」

「そうですか。じゃ、だいぶん、ごゆっくりね」

狭い庭だが朝の陽《ひ》ざしが当たっている。光線がかなり強くなっていた。盆栽の葉に水がたまり、キラキラ光っていた。妻が撒《ま》いたものらしかった。

「今日の帰りは、お早いんですか?」

「さあ、どうだかわからないな」

「早いといいんですがね。遅いのがつづくと体にさわりますわ」

「そんなことを言っても、おれの仕事ばかりはどうにもならない。事件の解決がつくまで、自分でも早いか遅いか見込みがたたないよ」

「でも、それがすんだら、次の事件でしょう。次々ときりがないのね」

妻は、半分、不服そうだったが、それも夫をいたわる気持ちからだった。今西は知らぬ顔をしてご飯に味噌汁《みそしる》をかけ、ざぶざぶとかきこんだ。

田舎に生まれた彼は、いまだにその風習がとれない。下品だと妻は非難するが、汁かけ飯が一番おいしいのである。

満腹になったので今西は座敷にころがった。少しまだ眠りが残っているのか、横になると体のだるさが出た。

「少しやすんでお行きになったら」

妻は、枕と、薄い布団を出して上からかけてくれた。

すぐには眠れない。今西は、ふと、枕もとの近くにあった婦人雑誌を手にとった。

こうしている間にも、やはり、捜査のことが気にかかる。それをまぎらわすためにも、分厚い雑誌を手にした。

漫然と拾い読みするつもりでいると、雑誌の間からパラリと別な本が落ちた。雑誌の付録だった。

それは、折り畳み式になっている「全国名勝温泉地案内」という色刷りの地図だった。

今西は寝たまま、顔の上にその地図をかざした。見ているとなかなかたのしい。だが、そのうちに今西の関心は、東北地方の方に寄せられた。何といっても「カメダ」が頭の中にある。

目撃者の話によると、被害者も、犯人らしい人物も、東北弁を話していたという。とくに被害者の方は東北地方から東京に出てきたばかりという感じだったというのだ。

今西は、東北のその地図を見ているうちにたのしくなった。松島《まつしま》や、花巻《はなまき》温泉や、田沢湖《たざわこ》や、十和田湖《とわだこ》などがある。

地図には、小さな駅名が鉄道線にぎっしりと書きこんであった。

いったい被害者は、この東北のうちのどこから出てきたのだろう。そして、「カメダ」という人物は現在この地図のどの部分に当たるところに住んでいるのだろう。そんなことを意識のどこかにおきながら、彼は駅名を見ていた。

知らぬ駅名を見るのも、たのしいものだ。今西は、一度も東北地方に行ったことがない。だが、未知の駅名を見ると、その辺の景色が頭の中にぼんやり浮かぶような気がした。

たとえば、左の方に八郎潟《はちろうがた》がある。その先が男鹿《おが》半島だった。

今西は、その辺の駅名をちらちらと読んでいた。

能代《のしろ》、鯉川《こいかわ》、追分《おいわけ》、秋田、下浜《しもはま》などの文字が漫然と目にはいった。

ところが、彼は、その次に目を移して、はっとなった。

「羽後《うご》亀田」

とある。

――羽後亀田。

今西は、瞬間に目の先がくらんだ。

ここにも「カメダ」がある。だが、これは人名ではなく地名だ。鉄道の駅名だから「羽後亀田」になっているが、おそらくその辺一帯に「亀田」という町か村かがあるに違いない。

カメダがここにあった!

今西は、一分間も目を据《す》えて、そのままじっと動かないでいた。

突然、彼は地図を放り出して跳《は》ね起きた。それから、すぐに出勤の支度をしはじめた。

「あら、どうしたんですか？」

妻が台所からやってきて、あわてて洋服に着替えている夫を眺《なが》めた。

「眠られないんですか？」

「眠るどころじゃない」

と、彼は言った。

「早く靴を磨《みが》いてくれ」

今西の顔色は少し変わっていた。

「だって十一時まででしょ。まだ早いわ」

妻は柱時計を見て言った。

「なんでもいいから、早く。すぐに出かけなきゃならないんだ」

今西は大きな声を出した。自分で自分の興奮していることがわかった。

少し呆《あき》れている妻の見送りを受けて、今西は泡《あわ》を食ったように大急ぎで道を歩いた。

バスの来るのがもどかしかった。

（カメダは人名ではなかった）

彼は心で呟いた。

（今まで人名と思って探したのが間違いだった）

被害者とその連れとの言葉の中に出た「カメダ」が、もし地名だとすると、まさにぴったりと感じが合致するではないか。

（カメダは今も相変わらずでしょうね？）

と、確かに被害者の連れが言ったという。

この言葉が人名だと思っていたが、地名だとしたら、もっとその表現は適切になる。つまり、カメダに変わりはないか、と言ったのは、ずっと前にそこに住んでいた男が、その後の土地の様子をたずねた言葉なのだ。

「羽後亀田」は、正確にはどういう地名かわからない。地図の上で、秋田県であることは確かだし、羽越《うえつ》線で秋田から五つ目の駅に当たり、日本海岸に近い。

捜査本部に着いたのが十時過ぎだった。

「やあ、早いな」

同僚が彼の肩を叩《たた》いた。

「主任は来ているかい？」

捜査本部は所轄の蒲田署の一室が当てられていた。

「うん、いま来たばかりだよ」

廊下の立ち話である。今西は、

「蒲田操車場殺人事件捜査本部」

という長たらしい文字が書いてある貼紙《はりがみ》のついた入口をはいった。

まん中の机に主任の黒崎警部が、報告書のようなものを見ていた。黒崎は警視庁捜査一課一係長だが、今度の事件の捜査主任になっていた。

今西はその前にまっすぐ進んだ。

「お早うございます」

今西が挨拶《あいさつ》すると、

「やあ」

と、黒崎は丸い肩にはまった猪首《いくび》を、ちょっとうなずいてみせただけだった。

「係長、例のカメダの一件ですが」

今西がそこまで言いかけると、

「なにかわかったのか?」

と、黒崎は顔を上げた。

黒崎は、頭の毛が少し縮れ、目が細く、顎《あご》が二重だった。胴体も大きい。その黒崎が、細い目をまたたいた。彼もカメダとなると神経質になっている。

「これは当たっているかどうかわかりませんが、例のカメダという名前なんですが」

今西は言いだした。

「あれは人の名前ではなく、ひょっとすると、地名ではないでしょうか？」

「なに、地名？　土地の名前か？」

黒崎係長は今西をのぞきこんだ。

「はっきりとはわかりません。しかし、そういうような気もするのです」

「そんな地名が東北の方にあるのかい？」

「あります。今朝、実は見つけたんです」

黒崎は、ふうと、大きな息を吐いて、うなったような声を出した。

「気がつかなかったな、それは、……なるほど……そうか」

黒崎は何か考えながら、そう返事した。おそらく主任も、被害者の連れが言った言葉を考えあわせているのであろう。

「いったい、そのカメダはどこにあるんだい？」

急に緊張した顔になった。

「秋田県です」

「秋田県の何郡だい？」

「さあ、それはわかりませんが」

「いったい、どの辺なんだ？」

「秋田駅から五つ目で、鶴岡《つるおか》寄りにあります」

今西は述べた。

「駅名は『羽後亀田』というのです。ですから、その駅のあるところがカメダという土地に違いありません」

「おい、分県地図を持ってこい」

主任はどなった。若い刑事の一人が部屋を飛び出して地図を借りにいった。

「しかし、よく、それに気づいたな」

借りにいった地図の来るのを待ちながら、主任は細い目をしてそう言った。

「はあ、何となく地図を見ていると、そんな駅名を見つけたんです」

「どうして、地図を見ていたのかね？」

「実は、女房《にょうぼう》がとっている婦人雑誌の付録を何気なしに眺めていたわけです」

今西は、少し照れ臭そうに言った。

「それは、いいところに気づいたね」

主任はほめた。

「まだ、どっちだかわかりませんよ」

今西はあわてて言った。実際、自分のカンが当たっているかどうか、まだわからなかった。もし、当たっていれば、これほどの幸運はない。

地図を借りにいった男が片手に畳んだ紙を持って、ひらひらさせながら戻《もど》ってきた。

「秋田県の地図です」

主任は、さっそく、それをひろげた。

「今西君、どの辺かね？」

主任に言われて、今西は地図の上に顔を突っこんだ。

「そっちからは逆だろう。わかりにくいからこっちから見たまえ」

「はあ」

今西は、主任の横に回って並び、細かな字をのぞきこんだ。

今西が今朝見た名所案内地図は略図だから、はっきりした地形が出ていない。だから、この詳細な地図では、秋田に見当をつけて、それから羽越線で五つ目を探せばよかった。

今西は、まず秋田を見つけた。それに小指の先を当てて、羽越線沿いにずらせた。

「あ、これです」

今西は、その一点に指をつき立てた。

「どれどれ」

主任は、それをのぞいた。

「なるほど、羽後亀田か。あるね」

黒崎主任は目をそれに近づけて見入っていた。

地図には、駅名の「羽後亀田」はあるが、「亀田」という地名は載っていない。すぐ横に、岩城《いわき》という町がある。

「主任。駅名に、ちゃんと羽後亀田と出ているんですから、この付近に町か村か知りませんが、とにかく、そういう土地があると思いますね」

「そうだな」

主任はしばらく考えていたが、

「もう、いいよ」

と、今西を席に帰らせた。

主任が、もういいよ、と言ったわけは、やがて開かれた捜査会議でわかった。

黒崎主任は、みんなを集めて今西の発見した「羽後亀田」のことを説明した。

「そうですな。被害者が言った言葉を人名と考えるよりも、地名と考えた方がぴったりのようですね」

多数の意見がそれだった。みなの目は、その席にいる今西の顔にちらちらと流れた。

「とにかく、所轄署にきいてみるとしよう。つまり、被害者の顔写真を先方に送って、この人物を知っている人間が、管内にいるかどうかを調べてもらうのだ」

主任はそう言った。

現地からの回答は、それから四日目にあった。それは、岩城署からの警察電話だった。

「こちらは、秋田県岩城署の捜査課長ですが」

先方は言った。その電話を取ったのは黒崎主任だった。

「捜査本部主任の黒崎です。どうも、わざわざ恐縮です」

「ご照会の件ですが……」

「はあ」

黒崎は送受器を握って緊張した。

「何かわかりましたか？」

「当署で亀田付近の人についていろいろ調査したのですが、残念ですが、該当者はありません」

「ははあ」

黒崎は落胆した。

「例の送ってもらった写真を持ちまわり、いろいろ聞込みをやったわけですが、亀田地区の居住者はだれも知らないと言っています」

「亀田というところは、どういうところですか？」

黒崎はきいた。

「亀田地区の人口は、せいぜい、三四千程度です。現在岩城町に含まれています。耕地が少ないですから、農業よりも干しうどんや織物などを生産しています。ですから、人口は年々減ってゆくようですがね。写真の主《ぬし》が、その亀田の出身者だったら、すぐわかるはずですが、だれも見覚えがないと言っています」

「そうですか」

せっかく発見した羽後亀田も、これで捜査上から失格かと思われた。だが、次に聞こえた声は、がっかりしはじめた黒崎を少し立ち直らせた。

「該当者はありませんが、ちょっと妙なことが起こっています」

「ほう、妙なことといいますと？」

「照会をいただいたちょうど二日前です。ですから、今から約一週間ばかり前になりますが、見なれない人間がその亀田付近をうろついていた事実があります。この男は、亀田にあるたった一軒の宿屋にも泊まっています。日ごろ、そういう人間があまりはいってこないような土地なので、注意をひいたとみえ、こちらの署員がその話を聞いて帰りました」

それは耳よりな報告だった。

「それは、どんな男ですか？」

主任は送受器を握り直してきいた。

「年齢が三十二三歳ぐらいです。一見、工員ふうな男だったそうです。何のために、その亀田に来たか目的がさっぱりつかめません。何かのご参考にと思って、それだけをお知らせしておきます」

「その男は、ただ、その村に現われたというだけで、何か変わったことはなかったのですか？」

「それは、変わったことはありません。別に事件を起こしたわけではないのです。ですが、今言いましたように、見たこともない他所者《よそもの》が来たので、もしや、お尋ねの事件に関係があるのではないかと思って、お知らせしておくわけです」

「どうも、それはありがとう。そして、とくにその男に村民が注意を向けたということはなかったのですか？」

「小さなことですが、そのような事実はないでもなかったです」

岩城署からの捜査課長の電話はつづいた。

「まあ、普通のことかもしれませんが、刺激のない田舎では、その男の行動が妙に人目に映っていたことは事実です。電話で詳しくは言えませんが……」

先方の声はこちらへ捜査員を派遣しては、というように聞こえた。

「どうもありがとう。都合によっては、こちらからだれかを差し向けるかもわかりません。その節はよろしく願います」

「承知しました」

電話は、そこで切れた。

黒崎主任は、煙草を一服つけて、天井を向いて煙を吐いた。それから、しばらく机に肘《ひじ》を突いて考えていた。

「みんな揃《そろ》っているかい？」

主任は、そこにいる連中に声をかけた。

その一人が部屋の中をぐるりと見まわすようにして、

「だいたい、揃っているようです」

と言った。

捜査会議が開かれた。

その席上で、主任は言った。

「この事件は、最初の見込みと違って、ひどく難航している。現在のところ、被害者の足取りはさっぱりわかっていない。ただ、トリスバーで話しこんでいたという相手の男を、有力なホシと考えるだけで、こっちの方もさっぱりわからない。ただ、期待は、カメダという名だけだ」

主任は、そこまで言って、大儀そうに茶をのんだ。

「四日前に、今西君からの注意で、カメダは人名でなく土地の名前ではないか、という知らせがあった。それはもっともと思うので、さっそくカメダの地名のある、秋田県の岩城署に照会したところ、いま、その回答があって、カメダは岩城町亀田地区ということがわかった」

主任は、一息ついて、話をつづけた。

「岩城署からの電話の内容は、こちらの照会があった二日前、つまり、今から約一週間前に、その亀田地区をうろついていた人間があったという。詳しいことは電話ではわからないという話だが、この亀田は、現在では非常に重大な材料だと思う。それに、今の電話でも、現地にこちらの本部員を派した方が、この捜査に有利な展開になると思う。みなさんの意見はどうでしょう？」

主任は、皆の意見を求めた。

それについては、出席の本部員全員が賛成した。現在、捜査はお手上げ状態である。いわば、藁《わら》にでもすがりたいような状況だった。

捜査員派遣のことは、すぐ決まった。

「今西君」

と、主任は言った。

「君がその地名を見つけたのだ。ご苦労だが、行ってくれるかね？」

会議の机は、コの字型に並べられてあったが、そのまん中あたりから、今西が頭を下げた。

「よろしい。それから、もう一人、ついて行ってほしいが、それには吉村《よしむら》君がいいだろう」

主任は、顔を反対に向けた。

並んだ机の末席から、若い男が椅子《いす》から立ちあがった。

「承知しました」

吉村弘《ひろし》という若い刑事だった。

第二章 カメダ

1

今西栄太郎は、夕方の六時ごろ自分の家に帰った。

妻は目をまるくした。

「ずいぶん、お早いんですのね」

「早いもんか。出張だ。今夜、すぐに発《た》たなきゃあならん」

今西は、靴《くつ》を脱ぎ捨てて座敷にあがった。

「へえ、どちらへですか？」

「東北の方だ。秋田の近くだ」

今西は詳しいことを言わなかった。ここで亀田の名前を出すと、また、うるさく、からまれそうである。

こういうときの刑事の行動は、だれにも秘密にしなければいけなかった。妻の芳子は口は堅いが、それでも何かの拍子に夫の行先がひょっと口の先に出ないとも限らない。今西は用心深かった。

「何時の汽車ですか?」

妻はきいた。

「上野を二十一時」

「ああ、では、あの事件の犯人があがったのですか?」

妻は目を輝かした。

「そんなことはない。ホシなんか、ちっとも割れていない」

「では張込みですか」

「違う」

今西は、少々、不機嫌《ふきげん》になった。

「でも、よかったわ」

妻は、ちょっと安心した。

「何がよかったんだ？」

「だって、張込みや、犯人の受けとりに行くのだったら心配だわ。ただの聞込みだったら、危なくないから安心しますわ」

妻はそんなことを言った。

今西は、これまでホシの立ちまわり先と思われる地方の張込みに出張したことがある。そんな時の気苦労は並みたいていではない。うかうかすると、犯人が立ち寄ったのを知らずに、あとでえらい失策を暴露することがあるのだ。今西もその経験を二度ほどしている。

それと、犯人の護送となると、これはまた別な意味で危険だった。というのは、犯人は、列車護送の途中、逃走を企てがちだからだ。彼にはそのような経験はないが、同僚の間にはあった。便所にはいって窓を破って逃げたり、途中から手錠のまま進行中の列車から飛びおりたりする。そういうときの刑事は帰署も辛《つら》くなる。

妻が、安心だわ、と言ったのは、その両方の危険がないからである。実のところ、今西自身も、今度は、少し気が楽だった。

その亀田という土地に行って、聞込みだけをしてくればいいわけである。だが、そこで成果があがらなかったら、これまた、別な意味で捜査本部はちょっと面目を失う。

もともと亀田という地名を発見し、今度の出張のきっかけは、今西自身がつくったようなものだった。責任はある意味において重かった。

「ごいっしょなさるのはどなたですか?」

刑事の出張は一人で行くことはない。必ず二人いっしょの組になっていた。妻の質問はそれを知っているからである。

「吉村君だよ」

今西はぼそりと言った。

「吉村さん、ああ、去年の正月にいらした若いかたね。こちらにいらっしゃるのですか?」

「ここに来るもんか、離れ離れにハコに乗りこむのだ」

今西栄太郎が、上野駅に着いたのは午後八時四十分だった。

すでに、ホームには秋田行急行「羽黒《はぐろ》」がはいっていた。

今西はあたりをそっと見まわした。新聞記者らしい姿は見えなかった。

それでも、彼は用心してすぐには列車に乗りこまず、ホームに出ている売店に寄って煙草《たばこ》を一つ買った。同僚の吉村の姿は、もちろん見えない。

買った煙草をその場で一本すい、顔を知った者はいないかとおもむろにあたりをうかがうつもりだった。

すると、とたんに後ろから肩を叩《たた》かれた。

「やあ、今西さん」

今西は、びっくりして振り向いた。S新聞社の山下という記者の顔がにこにこと笑っている。

「今ごろ、どちらへですか」

今西は悪いところを見つかったと思った。だが、そんなことは顔色に出さずに言った。

「新潟にちょっと用事があってね」

「新潟？」

思いなしか、山下の目がぎらりと光った。

「へえ、新潟に何かありましたか？」

「何でもないさ」

今西は、そう答えて、とっさの理由を考えていた。

「おかしいじゃありませんか。あんたのとこは、例の操車場殺しでてんやわんやでしょう。それなのに、新潟にゆうゆうと出張というのはクサいですな」

「クサくはないですよ」

今西は、わざと怒ったように言った。

「新潟は、ぼくの家内の郷里《さと》でね。義父《おやじ》が死んだんだ。それで駆けつけるところさ。さっき、電報が来てね」

「そうですか。それはご愁傷《しゅうしょう》さま」

山下は、一応、そう言ったが、

「それにしても、奥さんの姿が見えませんね？」

とあざ笑った。

今西は心の中でしまった、と思った。が、すぐに立ち直って、

「電報は、昼ごろ来たんでね。家内は先に出発したんだよ。ぼくは例の事件のことがあるので、ちょっと、遅くなったんだ」

「そうですか」

さすがの山下も、つい、これにひっかかった。

「君は、また、こんなところをうろうろして、どうしたんだね」

今西は逆にきいた。

この男に、いっしょに列車に乗られては困るからだ。

「いや、ぼくはまた新潟から来る人を出迎えているんですよ」

「ああ、そうか。それはご苦労さまだな」

今西は安心した。

「では」

今西は、わざと手を振って、ゆっくりとホームを歩いた。

「さようなら」

山下も見送った。

今西は、わざわざ反対の方角に一度歩いた。適当なところで後ろを振り返ってみると、もう、新聞記者の姿は見えなかった。今西はほっとした。それから、彼は、さらに用心しながら、人ごみの中に隠れるようにして逆戻りし、列車の最後部に飛び乗った。

列車の中は、ほとんど満員だった。最後部には吉村の姿はなかった。彼は二両目に移った。そこも満員だった。今西は、さらに次に移った。

このとき、初めて吉村の姿がホームとは反対側の座席にすわっているのが見えた。今西の分の席を、彼はスーツケースを置いて、とってくれている。

「やあ」

と、今西が言うと、吉村は笑って手を上げた。

「君、いま新聞記者に見つからなかったかい?」

今西は一番にきいた。

「いいえ、大丈夫です」

吉村は今西を隣の席にすわらせた。

「今西さんは見つかったのですか?」

「うん、ぼくは今そこでS新聞の奴《やつ》に肩を叩かれたよ。おどろいた。仕方がないから、女房の郷里《さと》の新潟に行くと言っておいたがね。ちょっとひやりとしたよ」

「そうですか」

今西は、汽車が早く出てくれればいいと思った。とまっている間、また、だれかに発見されるような気がして落ちつかなかった。二人は、なるべくホームの方を見ないようにして、顔を線路側の窓に向けていた。発車のベルが鳴ったときは、正直にほっとした。

「この汽車は、本荘《ほんじょう》が七時半ごろだったな?」

今西はきいた。

「そうです、七時四十七分です。それから、本荘で乗り換えて、亀田まで二十分かかります」

吉村は先輩に言った。

「君は東北の方に行ったことがあるのかい？」

「いいえ、一度もありません」

「ぼくも初めてだ。ね、吉村君、お互い家族づれでゆっくりと旅したいものだな。いつもこんな出張ばかりで、たのしみというものがない」

「ぼくは、今西さんと違って女房がおりませんよ」

吉村は笑った。

「だから、どんな出張でもいいです。ひとり旅の方がはるかに楽しいですよ」

「そうだろうね。ことに、今度はホシを連れて帰るわけじゃなし、張込みもないから、ずっと気が楽だよ」

「しかし、亀田という土地を発見したのは、今西さんだそうですが、もし、それが当たっていたら、金星ですね」

「当たっているかどうかわからないよ。よけいなことを言って旅費を使わせたといって、あとで主任に叱《しか》られるかもわからないね」

二人は、しばらく雑談した。

近くに乗客がいるので、それきり捜査関係の話はやめた。

東北の方は初めてという二人は、十一時ごろまでは眠れなかった。暗い窓に疎《まば》らな人家の灯が流れて行く。夜で景色は何もわからなかったが、それでも、その闇《やみ》の中から東北の匂《にお》いがしてくるような気がした。

夜が明けたころが鶴岡《つるおか》だった。酒田《さかた》に着いたのが六時半だった。今西は早く目がさめたが、隣の吉村は腕を組み、背中を後ろにより倒して寝込んでいた。

本荘で乗り換えて、亀田に着いたのは、十時近かった。

駅は寂しかった。だが、その前の町並みは家の構造がしっかりしていた。古い家ばかりである。想像していたより、ずっと奥ゆかしい町だった。

雪国なので、どの家も廂《ひさし》が深かった。今西も吉村も初めての東北の町なので、これは珍しかった。町の上に山があった。

「今西さん、少し腹が減りましたな」

吉村が言った。

「そうだね、では、その辺で腹ごしらえをしよう」

駅前の食堂に行った。客は二三人しかいなかった。食堂といっても、半分はみやげ物売場で二階は宿屋になっていた。

「そうですな。ぼくは飯をうんと食いたいですな。何しろ、腹が減った」

「何にする？」

「君はよく眠っていたよ」

「そうですか。今西さんに起こされましたね。今朝、早く目が覚めたんですか？」

「やっぱり、ぼくの方が年寄りだね。鶴岡あたりから目が覚めてね」

「それは、惜しかった。鶴岡という町は、ぼくは見たかったんです」

「あんなに寝込んでいちゃ、どこも見られやしないよ」

「そんなに早く起きたんでは腹が減ってしようがないでしょう？」

「君とは違うよ」

　今西は、そばを取った。二人は並んで食べた。

「今西さん、ぼくは、妙なことを思うんですよ。あなたは、どう感じるかしれませんがね」

　天丼《てんどん》をかきこんで吉村が言った。

「こうして、いろいろ出張するでしょう。そうすると、あとでその土地土地の景色よりも、ぼくは、食べ物の味を一番に思い出すんです。中には、ホシの護送をして、ずいぶん、はらはらしながら帰るんですがね。そんな苦労よりも、その土地で食べた食べ物の味の方をよく覚えているんです。われわれの出張は、旅費がぎりぎりでどの土地に行ってもうまいものが食べられるわけじゃないんですけれどね。やっぱり、ライスカレーか丼《どんぶり》ものか、どこにでもあるようなもんでしょう、でも味が違うんです。その土地土地の味っていうか、それをぼくは先に思い出しますがね」

「そうかな」

今西は、そばをすすっていた。

「やっぱり、君は若いんだよ。ぼくなんぞは景色の方を覚えたいね」

「あ、そうだ」

吉村は箸《はし》を止めて言った。

「今西さんは、確か俳句を作るんでしたっけ。それで景色に特別に注意が向くんですね。今度も句嚢《のう》を肥やして帰るわけですな?」

「駄句《だく》ばかりだよ」

今西は笑った。

「ところでどうします。飯を食ったらすぐに警察署に行ってみますか?」

「そうしよう」

「しかし、何ですな。ちょっとふしぎな気がしますね。われわれがこうして、この土地に来たのは、今西さんが奥さんの雑誌の付録を見たからでしょう。あれがなかったら、ぼくなんかこんなところに来るわけはなかったんです。してみると、人生なんて、ちょいとしたきっかけで運命が変わるということがよくわかりますよ」

吉村は、丼を一粒も残さずに食べたあと、茶を注《つ》ぎながら言った。

2

岩城警察署の建物は古かった。

中にはいると、うす暗い受付に今西が名刺を出した。

「どうぞ」

巡査は名刺を見て、二人をすぐに署長室に案内した。

署長は書類を見ていたが、二人を見て椅子をひいて立ちあがった。名刺を見ない先に訪問者を知っている顔だった。

「どうぞ、どうぞ」

太った署長だったが、笑い顔で彼らのすぐ前に椅子を二つ並べさせた。

「警視庁捜査一課の今西栄太郎です」

「同じく吉村弘です」

二人は、いっしょに挨拶《あいさつ》した。

「ご苦労さまです」

署長は二人を椅子につかせた。

「どうも、このたびはいろいろとお手数をかけました」

今西は礼を述べた。

「いやいや、ご参考になるかどうかわがりませんが、一応お知らせだけはしておいたのです」

若い署員がお茶を汲《く》んできた。

「たいへんでしたでしょう」

署長は卓上の煙草《たばこ》をすすめながら言った。

「まっすぐ、こちらにおいでになりましたか？」

「いや、羽後亀田駅に降りまして、一応、どういうところか、やはり、土地を見ておきたかったのです。それから、バスでここに伺ったわけです」

「なるほど、警視庁の方が本署にお見えになったのは、あなた方がはじめてですよ」

署長はそう言った。

「だいたい、ご照会の事件のことは承知しましたが、詳しいことはわがりませんので、一つあなた方の口から、話していただけませんか」

「承知しました」

今西が、蒲田操車場殺人事件の捜査のことを、あらまし話した。

署長は興味深そうに聞いていた。

「なるほど、そういうしだいで、この亀田が捜査線にのぼったわけですな……」

「そうなんです。東北弁を使っていたことといい、亀田という名前といい、どうも、ここだ、という感じがしたわけです」

「よくわかりました。前に電話でも直接、捜査主任の方に申しあげましたが、こちらに特別に変わった事実というのはないのです。この亀田というのは、ご承知かもしれませんが、昔の城下町でしてね。二万石ぐらいの小さな藩なのです。したがって土着の人が多いわけですが」

署長は説明をはじめた。

「ごらんになったでしょうが、三方が山に囲まれています。耕地がとても少ないので、現在は、干しうどんと織物、その織物は亀田織といって、戦前までは珍重がられたものですが、今はそれほど振るっておりません。したがって、年々、この町から若い人が外に出て行くので人口は減る傾向にあります」

署長は標準語で話していたが、そのアクセントにはあきらかに、この地方独特の調子があった。

「そんなわけで、亀田出身の人間だったら、たいていわがるわげです。本部がら送ってもらった被害者の写真を持って、署員にまわらせてみたが、どうもその写真の主は当地の人間ではないようです。しかしですな……」

と言葉を切って、署長は言った。

「今がら一週間ばがり前に、その亀田の町に、ちょっと風変わりな男が現われたんです」

「ははあ。風変わりというと、どういう?」

今西がきいた。

「ちょっと見ると、労働者ふうの男でしてね、よれよれの古くさい背広を着ていだそうですが、年齢は、だいたい、三十から四十の間と見られています。これも初めから変だというわげではなく、今度、あなたの方の問合わせがあって、私の方で亀田付近を調べてまわったとぎ、そう言えばそういう男がいだな、というこどでわがったのです」

「なるほど。で、それはどういうことでしょう?」

「その男は亀田の朝日屋どいう宿屋に泊まったのです。この宿屋は旧《ふる》い家で、しかも、ちょっとこの土地では格式があるんです。ところが彼がそごに泊まったど言っても変哲もないでしょうが、そのような旅館に労働者ふうの男が泊まったこどが、ちょっとチグハグなんです」

「ははあ」

「旅館では一応男の申し出を断わりました。もちろん、風采《ふうさい》を見で敬遠したわげですがね。ところが、その男は、金なら心配はいらない、前金で払ってもええがらぜひ泊めでくれ、と言って頼んだんだそうです。で、宿屋の方でも、今はちょうど客のない時期ですから、それならというわげで、泊めだそうですがね。もちろん、いい座敷ではなく、悪い部屋に通したのです」

今西はそれを聞いて、蒲田駅の近くの飲み屋で被害者といっしょにいたという男を思い出した。その男の年齢も、目撃者は三十歳とも言うし、四十歳とも言っている。風采が労働者というところも同じである。今西の耳は自然に署長の話に熱心になった。

「それから、どういうことがありましたか？」

「いや、それだげです。べつに何があったというわげではありませんが、宿料の支払いも約束どおり、ちゃんと前金で払ったそうです。それに係り女中にも五百円のチップをやったそうです。この辺で女中に五百円もやる客は、ちょっと居《え》ませんがらね。宿ではあとで、それならも少しええ部屋に通せばよがった、と、くやんだそうです」

「……………」

「なんと言っても、風采がそんな具合ですがらね、宿の方の警戒心も最後まで取れながったわげですな」

「その男は、宿でどんなことをしていましたか？」

「その男が着いだのは夕方でしたが、食事が終わると、疲れた、と言って風呂《ふろ》にもはいらないで、グウグウ寝でいだそうです。それで、宿ではよけいに気味が悪がったわげですがね」

「何か気味の悪いことが起こったのですか？」

「気味が悪いといえば、こういうこどがあったのです。その男は、十時過ぎまで眠っていましたが、途中で起ぎると、女中を呼んで、この宿は何時まで表をあげているかときいたんだそうです。女中が、一時ごろまでは起ぎでいる、と言うど、それなら、ちょっと用があるから、出てくる、と言って、宿の下駄をはき、外出したそうです」

「十時過ぎから外出したのですね？」

今西は話を聞いて念を押した。

「そうです」

署長は答えてつづけた。

「それでその客が宿に帰ってきたのが午前一時過ぎだったそうです。言い忘れましたが、その男は肩掛鞄《かたかけかばん》を一つ荷物に持っていだそうですが、それは宿に置いで出だそうです。この辺では、どの家も夜は早く戸をしめます。だから十時過ぎから出掛げで一時ごろまでその男が何をやっていだかわがらないわげです。これが普通の都会地なら、少しもおかしなところはありませんがね。こういう土地だと、妙にそれが目につぐのです」

「そうでしょうな。それで、外出から帰ったときは、別にその男の挙動に変わった様子はなかったのですか?」

「変わった様子はながったそうです。別に酒を飲んだ様子もなく、出で行ったとぎと同じような様子だったそうですよ。女中が、どこまでおいでになりましたか、ときくと、ついそこに用事があったので、用足しをしてきたと答えだそうです。ですが、十時を過ぎで用足しもないので、宿でもちょっと変に思ったそうですがね。それで私の方の署員が聞込みに行ったとぎ、その話が出たのです」

「なるほど、で、その男の宿帳は、残っているでしょうね？」

「残っています。私の方で、それを押収してもよがったのですが、あなたの方から見えるという話で、わざと、宿屋にそのままにして置いでありますす。何でしたら、そこのところだげをお引きあげになってもいいですよ」

「それはどうも。そのほか、変わったことはありませんか？」

「宿屋ではそれだげです。その男は、朝八時過ぎにはもう出で行ったそうですがね。それでも、朝の給仕のとぎに女中がきいています。これからどちらへお出かげですか、とたずねると、汽車に乗って青森の方に行ぐのだと言ったそうです」

「宿帳には住所がどう書いてありましたか？」

「それは茨城県の水戸《みと》市です」

「ははあ、水戸の人間ですか？」

「宿帳には、そう書いでありますす。しかし、本当かどうか、あなたの方でお調べになるとわがると思います。女中が、水戸はいいところでしょうね、と言うと、水戸付近の名所を話していだそうですよ。ですから、まんざら、水戸に縁のない男でもなさそうです」

「職業は？」

「宿帳によると、会社員とあったそうですがね、どこの会社に勤めているかはきかなかったそうです」

「すると、その夜中の三時間の外出がおかしいというわけですね」

「そうです。いや、ただそれだけでしたら、別にあなた方にここまでご足労かけることはないのですよ。そのほがにも、ちょっと変わったこどがあるのです」

「ははあ、それはどういう？」

「一つは、干しうどん屋の前をその男がうろうろしていだこどです」

「干しうどん屋といいますと？」

「亀田はいま申しましたように、干しうどんの名産地です。ですから、その業者の家の横には干しうどんがさらしてあるわげですがね。そこに彼が現われだのです」

署長の説明に今西は反問した。

「干しうどん屋の前に彼が現われて、どうしたというんです？」

「いや、どうしたというわげではありません。ただ、そのうどん干し場の前にじっと立っていだというこどだげですが」

署長は苦笑して答えた。

「じっと立っていたというと？」

「そうです。それも何をするのでもなく、ただつくねんと二十分ぐらい立って、干したうどんを眺めていだというのですがね」

「ははあ」

「その干しうどん屋の方では、あんまり、風采のよくない男が干し場の前に用もないのに立っているので、ちょっと気をつけでえだそうですがね。ですが格別のこどもなく、やがて、すうっと向ごうに行ったそうです。話というのはこれだけですよ。ですが、こういうこども一つ参考になりませんか」

「それは、大いになります」

今西は深くうなずいた。

「なるほど、いろいろなことがあるんですね。もちろん、その宿屋に泊まった男とうどんの見物人とは同一人物でしょうね？」

「同じ人間だど思います。それに、もう一つあるのですよ」

署長は何となく笑った。

「どういうことでしょう？」

「亀田の町には、川が流れています。衣川《ころもがわ》といいますがね。その川べりの土堤《どて》に今いった同じ人物と思われる男が、昼間、長くなって寝そべっていだそうです」

「ちょっと待ってください」

今西はさえぎった。

「それは宿屋に泊まった翌《あく》る日ですか、それとも？」

「翌る日ではありません。彼がその旅館に泊まるその日のことです。いま言ったように旅館にはいったのは夕方ですから、その日の昼ごろですね」

「わかりました。どうぞあとをお聞かせください」

「いや、これも、ただ、その男が川のふちに寝そべっていだということだけですがね。この辺はそんなのんびりした男はあまり居《え》ないのです。土堤の上に道がありましてね。その道を歩いでいる土地の人間が、妙なとごろに昼寝している奴《やつ》があると考えだわげです。浮浪者のように思ったのですね」

「なるほど」

「そのこどは、別に噂《うわさ》にも何もならなかったのです。ただ聞込みに署員が歩いでいるうちにその話が耳にはいったというわげです。何か変わったこどがながったかという聞込みをはじめて、ああ、それならこんなこどがあったというので話してくれだだげです」

「そうしますと、その男は、昼間、草っぱらに寝ていたわけですね。その夜は旅館を十時過ぎに出て行って一時ごろに帰った……。ちょっと、これがおかしいというわけですな」

「というと？」

署長の方が今西の顔をのぞきこんだ。

「昼寝を土堤でして夜中に宿を出て行く、これは普通の人間ではなさそうですね？」

「ああ、あなたは泥棒《どろぼう》が何がを考えているわけですね。私もそれを考えだのですよ。しかし、その日を中心にして別にこの町に窃盗《せっとう》の被害はながったのですよ」

署長はつづけた。

「これが何か実害があれば、すぐに具体的なことがその変な男に結びつきますがね。何もないのだから、かえって得体《えたい》がつかめないのです」

「その男が、うろうろしたのは、その日、一日だけですか？」

今西はきいた。

「そうです。その日だけです。今西さん、これは、ご照会の事件ど何か関係があるように思いませんか？」

「そうですね」

今西はにこにこしていた。

「どうも妙ですね。では、とにかくこれから私どもは少し歩いてみましょう」

「そうですか。では、だれか署員に案内させます」

「いや、それはけっこうです。ただ、場所を教えていただけば勝手に行きます。その方が都合がいいのです」

「そうですか」

署長は署員を呼んで、その朝日屋という旅館や、干しうどん屋などの場所を説明させた。今西と吉村とは礼を述べてそこを出た。

二人はバスに乗って亀田の方へ行った。バスには土地の人ばかり乗っている。乗客の互いの会話を聞いていると、意味がとりにくいくらい強い訛《なま》りだった。

家並みはすぐに切れて田圃道《たんぼみち》をバスは走った。車窓に迫った山の新緑の色が美しい。この辺は時期が東京あたりよりはずっとおそいのだ。

今西は、ぼんやりと目を外に向けていた。

教えられた停留場でおりて、その朝日屋という旅館を訪ねた。署長の説明で格式は古いという話だったが、その建物も古かった。破風《はふ》造りの玄関だけが時代遅れでいかめしい。

「こういう者ですが」

今西は、出てきた女中に警察手帳を出した。ご主人にお目にかかりたい、と言うと、四十格好の男が奥から現われて、今西の前にズボンの膝《ひざ》を折った。

「東京の警視庁から来たものですが」

今西は玄関に腰をおろして話した。上にあがれ、と主人はすすめたが、そのままなので女中が座布団《ざぶとん》とお茶を上がりかまちに持ってきた。

今西は、岩城署の署長から聞いた話をあらまし言った。

「確かにそういうお客さんは泊まったす」

主人はうなずいた。

「それをもっと詳しく教えてくれませんか？」

今西が言うと、宿の主人は承知して話したが、それは署長の談話とあまり違わなかった。

「その男の書いていった宿帳があるそうですね？」

今西がきくと、

「あるす」

と、主人はうなずいた。

「それを見せてくれませんか？」

主人は女中に宿帳を持ってこさせた。宿帳といっても、一枚ずつ離れている伝票のようなものだった。

「これでがんす」

「はい」

主人が差し出して見せたのは、つぎのような記載だった。──

「茨城県水戸市××町××番地橋本忠介《はしもとちゆうすけ》」

下手《へた》な文字だった。まるで、小学生が書いたみたいだった。だが、これは、その男が労働者ふうという印象と思いあわせて不自然ではなかった。

今西は、その文字をじっと見つめた。

今西栄太郎は、その客の人相をきいた。それは、三十ぐらいの年輩で、背が高かった。体格は、痩《や》せてもいず、太ってもいない。顔だちはやや面長《おもなが》で、髪は分けないで短かった。顔の色は黒いが鼻すじの通った整った容貌《ようぼう》だった。だが、彼はその顔をいつも伏せて、話をする時も、まともに目を合わせなかったという。それだけに女中たちの印象もまとまりがなかった。

言葉つきはどうかときくと、あきらかに東北弁ではなかったと言うのだ。標準語に近い言葉で、声はやや渋かったと言う。全体の印象は、陰気で、ひどく疲れていたような感じだった。これだけは、全部が一致した意見だった。

彼は、べつに旅行鞄《かばん》もスーツケースも持っていなかった。ただ、戦時中によく使った肩から下げる布製の鞄を持っていて、それに手まわりの品を押しこんでいるようだった。肩掛鞄はふくれていた。

この宿屋での話は、二人の刑事が干しうどん屋を訪ねても同じ結果だった。うどん屋は、その横に干し場があって、うどんを陽《ひ》に乾かしている。それは竿竹《さおだけ》をならべ、それに吊《つ》り下げているので、うどんの白さが陽に輝いて、まるで白い滝のようだった。

「このあたりに、その男だば立っていだのす――」

と、そこの主婦が出てきて説明した。

その場所は、干し場から約二百メートル隔たった小道である。この辺になると、隣の家とも間隔が広く、その間は草地になっていた。草地の間に小さな小道があり、それが本通りと合っている。問題の男は、その草地のあたりをしゃがんだり立ったりして、三十分もうろうろしていたというのだ。

「とってもおかしげな人だと思っていだでば。だどもいだずらをするようでもねえから、とがめることもできねえけども、あとで刑事さんがきて、最近、変わったことはねえか、ときかれだので、そのこど話したようなわげでがんす」

「すると、この干しうどんを見物していたんですか？」

「んだな、ずっと、うどんの方を見でるえんた、休んでるえんたよな、わげのわがらないあんべえだした」

ここでは、ただそれだけを確かめただけで、今西は吉村と出ていった。話は署長から聞いたとおりだった。

しばらく歩くと、大きな川ぶちに出た。

川上の方は重なり合った山の間にはいっている。川土堤には草が伸びていた。

「なるほど、ここでその男は寝ていたというわけだね」

今西は景色を見て言った。

向かい側の川土堤を農婦が一人、鍬《くわ》をかついで歩いていた。こういう用事でもなかったら、のんびりした旅だった。

「今西さん」

吉村が横から言った。

「どうでしょう、感じとしては、やはりその男が、例の蒲田の飲み屋で被害者といっしょにいた男でしょうか？」

「さあ、なんとも判断がつかないね。しかし、確かに話の具合は妙だな」

「だが、とりとめのないことですね」

吉村は、今西の横で、少し情けない顔をして立っていた。

「今西さん、あの宿帳に書いているのは、むろん、偽名でしょうね」

吉村はきいた。

「もちろんだ。あれは大ウソのコンコンチキだよ」

今西が、あんまり、はっきり言ったものだから、吉村はつりこまれた。

「どうして、それがわかります?」

「君、あの宿帳の筆跡を見ただろう?」

「はあ、見ました。ひどく下手な字でした」

「下手なのも道理さ、あれは、わざと左手で書いたんだ、待て待て」

今西は、ポケットを探って手帳の間にていねいに畳んだ宿帳の一枚を出して見せた。

「よく見てごらん、これには文字の勢いというものがまるでないだろう。それに、こんなギスギスした字というのはない。あの宿屋でも、女中が言ったのを覚えているね。宿帳は女中の目の前で客が書いたのではなく、女中が宿帳を置いて、いったんひきさがり、そのあと部屋に行ったところが、ちゃんと記入ができていたと言っていた。だから、この客はその女中の留守の間に左手で書いたんだ」

吉村は、のぞきこんでいたが、

「そういえば妙な字体ですね」

「ただ、下手というだけでなく、こんな妙な字になるのは左書きだからさ。右利《みぎき》きの人間が左手で書いたんだから、もちろん、筆跡をわからないようにするためだ。だからこの住所も名前もデタラメといっていい」

「なるほど、そう聞けばそのとおりですが」

吉村は、説明を聞いたが、わりとのんびりした顔つきをしていた。

「しかし、その男があの宿屋に泊まったのはいいが、十時ごろから午前一時ごろまで、いったい、どこに行っていたのでしょう。その昼ごろの行動を見ると、別に用もなさそうにみえますがね」

「そうだ、ぼくもそれを考えていたところだ」

今西は両手をズボンのポケットに入れて、草の中に立っていた。目の前の川には、小さなせせらぎが泡立《あわだ》ち、向こうの山には陽が当たって影をつくっている。

「何だか妙な出張ですね」

と、吉村は言った。

「張りあいのないみたいな結果ですね」

確かにそのとおりだった。遠路、ここまで来て妙な男の行動を聞いたというにすぎない。この左手で書かれた筆跡が、あとで、どう生きてくるかわからないにせよ、しいていえば、そのような小さなことを東北のこの田舎町に確かめに来ただけだった。

「今西さん。これからどうしますか？」

吉村が艶《つや》のない声できいた。

「そうだな、これという当てもないから、ひとまず、引き返そうか？」

「その男の足取りを探さなくていいですか？」

「探してもむだだろう。おそらく、その日一日しか、この亀田にはいなかったのじゃないかな」

「では、いったい、その男は何の目的でここに来たのでしょうか？」

「さあ、よくわからない。流れ者の労働者にしては、別に仕事を求めたような形跡もない。だが、君の言うとおり、一つ、念のために近くの町を洗ってみるか。せっかく、ここまで来たんだ。まあ、何とか元気を出せよ」

今西は吉村の浮かぬ顔を見て言った。

3

その翌《あく》る日の午後、今西と吉村とは、また岩城《いわき》署の署長室を訪れた。

「どうも、今度はいろいろとお世話になりました」

今西が礼を言った。

「いやあ、どういだしまして。何か、収穫がありましたか？」

太った署長は微笑した。

「お陰さまで。だいたい具体的なことがわかりました」

「そうですか。んで、モノになりそうですか？」

「はあ、どうやら何かありそうです」

今西は答えた。実際は海のものとも山のものともわからないが、わざわざ、これを知らせてくれた署長の面目も考えねばならなかった。いや、あるいはこれが案外あとで生きてくるかもしれないのだ。

「それはよがった。私の方もお知らせしたかいがあるというものです」

署長は満足そうだった。

「それで、あれがらどうなさいました？」

「まあ、亀田だけではなんですから、同じような人物がほかにも現われていないかと思って、近辺の村を先に洗いました」

「ほう、それは大変でしたな。んで、結果はどうなんです?」

「ところが、ほかの村には、その男は現われていないのですね。ただ亀田だけなんです。たぶん、亀田の駅から乗って、どこか、よその土地に行ったのかもわかりません。当初、われわれの見込みでは、そういう流れ者の労働者ですから、ほかの地区から来たのか、あるいは行ったのかとも考えて、足どりを探ってみたのですが、その形跡はありませんでした」

「なるほど。それはご苦労でした。しかし、ちょっと妙な話ですな、その男が亀田だけに降りだというのも」

「そうなんです。だから、考え方によっては、よけいにこれは見込みがありそうですよ」

二人は署長としばらく雑談した。そして、機を見て暇乞《いとまご》いした。

署長は、部屋の外まで見送ってくれた。

二人は、雪国特有の廂《ひさし》の深い町並みを駅の方に歩いた。

「何時の汽車に乗りますか?」

吉村が横を歩きながらきいた。

「そうだな、やっぱり今夜の汽車にしよう。夜行が一番いいよ。朝、上野に着くだろうから、その足で、さっそく、本部に顔を出せばいい」

時刻表も何も見ていないのでわからなかった。ひとまず、駅に行って、適当な汽車を選ぶつもりだった。

駅は小さかった。

構内にはいると、時刻表が出札口の上に出ていた。二人は仰向いてそれを眺《なが》めた。

その時だった。後ろが急にざわついた。今西が振り向くと、そこには、スーツケースを提《さ》げた三四人の若い男を中心に、五六人の新聞社の男らしい者が取り巻いていた。なかには、カメラを構えて、しきりとその若い男たちを撮《と》っている者もいた。

今西が見ると、この辺の人間でないことが一目でわかった。あきらかに東京から来た連中である。

土地の新聞記者が取り巻いているので、今西は何だろうと思って、その一行に眼を据《す》えた。

今西が観察すると、その一団の中心になっているのは四人の人物だった。彼らはあきらかに東京の人間のようだった。わざと無造作な格好をしているが、その服装を詳細に見れば、一つ一つが選択された衣服であることはすぐにわかる。つまり、無造作なオシャレだった。こういう種類の人間は文化人に多い。

実際、その四人の男たちは、髪を長くしていたり、ベレー帽をかぶったりしていた。年齢はいずれも三十歳前後と思われた。

土地の新聞記者たちは、その一人一人に話を聞いたりほかの者にカメラを向けたりして、しきりと取材をやっている。そのかなり大げさなところをみると、その四人は相当社会的な地位があるように見えた。とにかく、この寂しい田舎の駅ではひときわ目立つ一団だった。待合室にすわっている土地の乗客たちも、なんとなくその花やかな一行に目を向けている。

「しかし、日本のロケットはまだまだだめでしょうね」

という声が聞こえた。一行の中でもとくに若い感じの、色白で眉《まゆ》の濃い青年である。グレイの背広にネクタイはせず、黒のスポーツシャツの衿《えり》を出している。

この言葉は、新聞記者の一人に向かって言ったものらしい。

「何でしょうな？」

吉村がきいた。

「さあ」

今西も見当がつかなかった。社会的地位があるにしては、みんな年齢が若いのである。

そのうち、土地のものらしい二三人の若い女たちが、その四人の前に進むと、何やら手帳のようなものを差し出した。すると、一人が万年筆を取り出し、それに何か書いてやった。

娘はおじぎをして次の男に回した。その男も万年筆で走り書きした。サインをもらっていることがわかった。

「映画俳優でしょうか？」

やはり、その情景を見ている吉村が言った。

「さあ」

「しかし、映画俳優には、あんな顔はないし、しゃべっている内容がおかしいですね」

吉村は首をかしげていた。

「しかし、近ごろの新人俳優は、われわれにはよく顔がわからないからな。ニューフェースが次々と製造されて出てくる。そういう点になると、娘さんの方が何でもよく知っているんだな」

今西は感想を言った。

実際、今西の若いときとは、映画界の事情はずいぶんちがってきているようだ。彼の頭にあるスターというのは、今はほとんど映画に出なくなっている。

そのうち、一行は改札口を出ていった。それは下りの青森方面行だった。今西たちには用のない汽車である。

新聞記者たちは、そこでおじぎをして、ぞろぞろと引き返した。

「きいてみましょうか？」

吉村が興味を起こして言った。

「よせよせ」

今西は一応止めた。

「しかし、どういう人種か、ちょっと知りたいですよ」

若いだけに、吉村には弥次馬《やじうま》根性がある。彼はサインブックを持った若い女の方に近づいていった。

それから、彼は彼女に背を屈《かが》めて何やらきいていた。若い女の方は少し顔を赤らめて、それに答えていた。

吉村はうなずいて、今西のところに引き返した。

「わかりましたよ」

彼は照れ臭そうに笑っていた。

「何だね？」

吉村が、サインをもらった若い女から聞いた話を、今西に伝えた。

「あの人たちは、やっぱり東京の文化人です。近ごろ、新聞や雑誌などによく出てくる〝ヌーボー・グループ〟のメンバーですよ」

「〝ヌーボー・グループ〟って何だい？」

今西は知らなかった。

「〝新しき群れ〟とでも言うのでしょうかね、進歩的な若い文化人ばかりで会を組織しているのです」

「へえ、〝新しき群れ〟か。ぼくらの若い時には、〝新しき村〟というのがあったがね」

「ああ、武者小路《むしゃのこうじ》さんのですね。これはムラでなくてムレですよ」

「どういうムレだね？」

「いろんな人が集まっているんです。いわば進歩的な意見を持った若い世代の集まりと言った方がいいでしょうか。作曲家もいれば、学者もいるし、小説家、劇作家、音楽家、映画関係者、ジャーナリスト、詩人、いろいろですよ」

「へえ、君はよく知ってるんだね」

「これでも、新聞や雑誌は読んでいますからね」

吉村は、ちょっと照れたように言った。

「今の四人がそのメンバーかね？」

「そうなんです。今、女の子に聞きましたがね、あそこにいる黒いシャツを着たのが作曲家の和賀英良《わがえいりょう》、その隣が劇作家の武辺豊一郎《たけべとよいちろう》、評論家の関川重雄《せきがわしげお》、画家の片沢睦《かたざわむつ》郎《お》といった連中ですよ」

今西は、その名前を聞いたが、彼も、そう言えばどこかでその名前を読んだような気がした。

「その連中が何でこの田舎に来たのかな？」

「きいてみると、この岩城町には、T大のロケット研究所があるんだそうです。その見学の帰りだそうですよ」

「ロケット研究所？　へえ、そんなものがこの田舎にあるのか？」

「ぼくもそれを聞いて思い出しました。それも何かで読みましたよ」

「妙なところにまた近代的なものがあるものだね」

「そうなんです。連中は、その見学をすませて、これから秋田に行き、そこから十和田湖を見て帰るんだそうです。いわば彼らは新しい時代の脚光を浴びているマスコミの寵児《ちょうじ》ですから、土地の新聞社があんなに騒いだわけですね」

「なるほど」

今西は無関心だった。彼と彼らの間には遠い距離がある。だから、彼はその話を聞いたあと欠伸《あくび》をした。

「ところで、吉村君、汽車は決まったかい？」

「ええ、十九時四十四分の急行があります」

「上野に何時に着くの？」

「翌朝の六時四十分です」

「いやに早く着くんだな。まあ、いいや。うちに帰って一寝入りして、それから捜査本部に行くか」

今西はつぶやくように言った。

「どうせたいした獲物を持って帰るわけではないから、気があせらないよ」

「ほんとですね。今西さん、どうです？　ここまで来たついでですから、日本海の海の色でも見て帰りましょうか。まだ時間がたっぷりありますよ」

「そうだな。じゃ、そうするか」

今西と吉村とは、町を通って海岸の方に向かった。

町並みはしだいに漁村に変わってくる。急に潮の匂《にお》いが強くなってきた。

海岸はほとんど砂地だった。

「渺茫《びょうぼう》たるものですな」

吉村は、砂の上を歩いて海を見晴らした。一望の水平線には島影一つ見えない。西に傾いた陽《ひ》が、海の上に光の帯を作っていた。

「やっぱり日本海の色は濃いですね」

吉村は眺めて感嘆した。

「太平洋の方だともっと色が浅くなります。こちらの感じのせいかもしれないが、色が濃縮されたという感じですね」

「そうだな。やっぱりこの色が東北の風景に似合うんだね」

二人はしばらく眺めていた。

「今西さん、何かできましたか？」

「俳句か？」

「もう三十句ぐらいできたんじゃないですか？」

「むちゃ言うな。そうは簡単にできないよ」

今西は苦笑した。

二人の前を、漁村の子供が大きなビクをかついで通った。

「こういう所にいると、東京のせせこましさがわかりますね」

「のんびりするなあ」

「二三日、こんな所でゆっくりしたら、ほんとに気分が洗われるでしょうね。ぼくらの心の中には埃《ほこり》がいっぱいたまっているような気がしますよ」

「君は、あんがい詩人だね」

今西は吉村の顔を見た。

「いや、そうでもありませんが」

「さっきの若い連中のことを知っているのもそれでわかるな。やっぱり、そんな本を君が読んでいるせいだね」

「いや、それほど好きではないんですが、常識程度ですよ」

「なんとか言ったね。ヌーボー……」

「〝ヌーボー・グループ〟です」

「ヌーボーというのはおもしろくて覚えやすい。連中はまさかそんなのんき者の集まりではないだろうな?」

「どうして、どうして。なかなか俊敏な連中ばかりですよ。みんな次の世代を背負っているような意識の強い人たちばかりです」

「ぼくらの小さいときにも、そんなことを叔父《おじ》から聞いたな。叔父は三文小説を書いていた。いや、まだ子供の時分だったがね。さっきの、〝新しき村〟もそうだったが」

「ああ、〝白樺《しらかば》〟の人たちですね」

と、吉村の方が知っていた。

「あの時もそうでしたが、近ごろはもっと個性的な色彩が強いのです。白樺派は、有《あり》島《しま》さんだとか、武者小路さんだとかいった個性の強い人もいましたが、一体にそのグループは平均した色合いでしたね。今の方がそういう点では、各自の個性の強さがそのまま集団の特徴となっているのです。それに、白樺のころは人道主義などと言って、文芸活動に限られていましたが、近ごろでは、どんどん、政治の方に活発な発言をしているようですね」

「やっぱり時代の違いだね」

今西はよくわからなかったが、ぼんやりとしたことはわかるような気がした。

「帰りましょうか?」

若い吉村の方はそろそろ退屈していた。

「帰ろう。どうせ今夜は汽車の中だ。ぼくは君と違って眠られないたちだから、今のうちに少し体を休めなきゃいけない」

4

汽車はすいていた。

本荘《ほんじょう》で急行に乗り換えた二人は、三等車のほぼまん中あたりに、悠々《ゆうゆう》と席を取ることができた。

「今西さん、ちょっと弁当買ってきます」

吉村は荷物を置くと、そそくさと立っていった。

ここは五分間停車だから、ゆっくりしたものだった。窓際《まどぎわ》には、列車と見送人との交歓が随所に行なわれている。今西はぼんやりそれを眺めていた。会話はこの辺の訛《なま》り言葉で、はっきりと意味がわからなかった。

やがて、吉村が弁当とお茶を持って帰った。

「やあ、ご苦労、ご苦労」

今西は、その一つと茶びんとを受け取った。

「腹が減りましたな。さっそく、やりましょうか？」

「列車が出てから食べた方がいいよ。その方が落ちつくからね」

「そうですね」

その列車は、やがて発車した。駅にはもう灯がついている。「羽後本荘」という駅名がホームといっしょに後ろに流れた。駅の構内が切れると、町の灯が移動してきた。踏切には、人びとが立ち止まって汽車を見送っている。

今西はいつものことだが、こうして遠いところに出張してくるたびに、一生、この町をまた訪れるかどうかわからない、という一種の感慨が起こる。夜の本荘の町もやがて切れて、黒い山だけがゆっくりと動いてきた。

「そろそろ、やりましょうか」

吉村は弁当を開いた。

「ぼくはね、吉村君」

と、今西は弁当をひろげて言った。

「この汽車弁を食べるたびに思うんだよ。子供のとき、こいつが最大のあこがれでね、なかなか、母親が買ってくれなかったもんだ。当時、いくらだったかな？　そうだ、三十銭ぐらいだったと思うよ」

「ほう、そんなでしたかね」

吉村は、ちらりと今西の顔を見た。彼には今西の育ちというか、幼いときの環境がわかるような気がした。それからみると、さっき駅で見かけた若い人たちは、ずいぶん恵まれた環境だった。いずれも良家の子弟なのである。そのいずれもが揃《そろ》って大学教育を受け、不自由のない生活を過ごしてきている。吉村は今西の顔を見て、この老練で、地道な先輩刑事と彼らの若いグループとを、比較せずにはおられなかった。

実際、今西はたのしそうに駅弁を食べ終わった。そして、土びんの茶を汲《く》んで、うまそうに喉《のど》に流した。その伸びた髭《ひげ》のあたりには、疲れの色がもう見えていた。

今西は弁当の蓋《ふた》をすると、丁寧に紐《ひも》でくくった。それから、半分に切った煙草《たばこ》を取り出して、うまそうに喫《す》った。

それを喫い終わると、今西は上着をごそごそと探して手帳を取り出した。むずかしい顔をして眺めている。向かいあってすわった吉村は、今西が事件捜査のメモでも検討しているのかと思った。

「吉村君、これを見てくれ」

今西が少し照れ臭そうな笑いをしながら、手帳を見せた。

《干しうどん若葉に流して光りけり》

《北の旅海藍色《あいいろ》に夏浅し》

「なるほど。収穫ですね」

と、吉村はにこにこして次の句を見た。

《寝たあとに草のむらがる衣川》

「ははあ、これが例のおかしな男のことですな」

吉村は、その句を読んで言った。

「まあ、そんなものだ」

今西はやはり照れ臭そうに笑い、窓の方を向いた。

外は暗い闇《やみ》が走っている。時おり、山辺の方に遠い人家の灯が寂しく流れるだけだった。

「ねえ、今西さん」

と、吉村は言った。

「この妙な男が、うまくホシと結びつくといいんですがね」

「そうだな。そうなると、われわれの出張もむだではなかったわけだからな」

「やっぱり、このくらいの聞込みでわざわざ遠い所にやってきて、それがあとで、事件とは何でもないとわかると、ちょっと寝覚《ねざ》めが悪いですな」

吉村は、遠い出張のことをしきりと気にかけていた。捜査本部の費用は切りつめられている。だから、その少ない費用の中から遠地の出張が気にかかってならないのだった。

「それは仕方がないさ。そのときは、ほかの諸君に勘弁してもらうんだな」

「そうですね。しかし、なんですな、今西さん。ぼくらがこうしてのんびりと汽車に乗ってる間にも、ほかの人たちが懸命に動きまわって捜査をやってるかと思うと、ちょっと相すまないような気持ちになりますね」

「吉村君、これも仕事だからね。そう気にかけることはないよ」

今西は、若い吉村をそう慰めたが、その気持ちは吉村以上に切実だった。

目下の捜査は行きづまっている。もし、捜査の進展が活発だったら、こんなことでわざわざ秋田県くんだりまでやってきはしないのだ。捜査主任もあせっている証拠だった。

ことに、この亀田という土地を割り出したのは今西だから、この出張の責任が彼の気持ちに重くかぶさっていた。窓の方を浮かぬ顔で見ていた今西が、ふと、つぶやいた。

「スポーツシャツは出てきただろうかな……」

吉村がそれを聞きとがめた。

「スポーツシャツですって？」

「そうさ。加害者が着ていたものだよ。あれは、被害者を殺したときに返り血が相当ついてるはずだ。そのまま着てはいられないから、どこかに隠しているはずだ」

「ホシはそういうものを、よく自宅に隠しますね」

「そういう例は多い。しかし、この事件の場合は、もっと別な考えがありそうだ。というのは、君」

と、今西は言った。

「相当血痕《けっこん》がついてるとすると、ホシはそれを着て家まで帰ったかどうか疑問だと思うね。人に見とがめられるようなおそれがあって、果たして、それを着て帰ったかどうかわからん」

「しかし、あれは夜ですよ」

「夜だ。だがね、たとえば遠い所に加害者の家があると考えると、まさか、そんな格好で電車には乗れないだろう。タクシーだって運転手に怪しまれるよ」

「自家用車がありますね」

「自家用車はある。それは考えられるがね。だが、ぼくはね、ホシがそのスポーツシヤツを着替える中継地がどこかにあるような気がするよ」

窓の外は、相変わらず闇が流れてゆく。

乗客の中で気の早い者は、もう寝る用意にかかっていた。

「ホシが血のついたものを着替える中継地というのは、考えられますね」

吉村は言った。

「すると、それは、ホシのアジトということになりますね？」

「そういうことになるだろう」

今西は何を考えているのか、暗い外を眺めながらぽそりと言った。ポケットから半分に切った煙草を出して喫っている。

「では、アジトというのは、ホシのイロでもいるところでしょうか？」

「さあ、そいつはわからない」

「しかし、当然、そこでは着替えをするわけですから、まさか空家ではないでしょう。だれかがいるはずです。すると、よほどホシと特殊な関係にある人間でないと困るわけですね」

「そりゃそうだ」

「イロでなかったら、よほど親しい友人とか、兄弟とか、そんなことでしょうか？」

「まあね」

こうなると、今西は多くを語らない。老練なだけにひとりで物ごとを考えたがっていた。

若い吉村は、日ごろ、いつも今西のそばにいるのではなかった。吉村は、事件の起こった地元の所轄署《しょかつしょ》の刑事である。ただ、以前に、ある殺人事件が起こり、そのときも本庁から来たこの今西と組になった。それ以来、この後輩刑事は、今西を尊敬していた。

むずかしい事件があると、彼に意見を聞きにいったりした。そんなことで、今西の性質や趣味もわかっていたし、その家族の者とも知りあっていた。

何か、いい筋をつかんだとなると、同僚にもしゃべらないのが今西刑事のやり方であった。報告のときも、直接に捜査一課長のところに行くことさえある。

捜査一課の一係は殺人専門だが、部屋は八つに分かれている。各部屋ごとに刑事がだいたい八人ずつで、本部係となると、この、どれかの部屋が出動するわけであった。八人の刑事は、それぞれ独自の立場を持っていた。一応、主任警部の指揮を受けて動くが、ホシについていい筋をつかんだとなると、今度は個人的な捜査にかかる。だれにしても功名心はあるのだから、これはいたし方がない。捜査会議の席で刑事たちが必ずしも手の内を全部さらけ出すとは言えないのは、こんなことからである。

古い型といえばそれまでだが、この今西刑事などは、そういうやり方を長く信じて歩いてきた一人であった。何を考えているのか、ある一線まで来ると、他人には石のように黙りこんでしまう。

「もう寝ようよ」

今西は退屈そうに煙草の吸殻《すいがら》をすりつぶして言った。

「そうですね」

「朝は何時に着くんだって?」

「六時半です」

「そんなに早ければ、まさかブン屋の出迎えもないだろう……。しかし、贅沢《ぜいたく》な出張をさせてもらったな」

今西栄太郎は目をさました。

窓のブラインドから薄い明かりが洩《も》れていた。今西は、それを少しあけた。外には、乳色の中に山が走っている。しかし、今までの山の相とは違っていた。時計を見ると、四時半だった。

かたわらの吉村はまだ眠っている。

今西は、どこだろうと思って、見つめた。しばらくすると、一つの駅が通り過ぎた。瞬間に「渋川《しぶかわ》」という駅名をよんだ。

今西が煙草をすっていると、隣の吉村が目をあけた。

「もう起きたんですか」

吉村の目はまだ赤くなっていた。

「ぼくがもそもそしたものだから目が覚めたんだろう。悪かったね」

「いいえ、とんでもない」

吉村は目をこすって外をのぞいた。

「どこですか?」

「いま、渋川を過ぎたところだ」

「やれやれ、やっと帰りましたね」

「もっと寝ていたらどうだ」

「そうですね」

吉村は目を閉じたが、またあけた。

「もう眠られませんよ」

「東京が近くなったからかい？」

「そうでもありませんが」

吉村もポケットから煙草を取り出した。

二人は、しばらくぼんやりしていた。

列車は山から平野に駆けくだった。外がいっそう明るくなった。

今西は、ブラインドをいっぱいにあけた。野良《のら》には早起きの農夫の姿が見える。

やがて、窓には人家が多くなり、大宮《おおみや》に着いた。

「吉村君、悪いが新聞を買ってきてくれないか」

今西は頼んだ。

「わかりました」

吉村は座席から立ちあがると、通路を走ってホームに降りた。

彼が戻《もど》ってくるのと、列車が発車するのと、同時だった。吉村は、新聞を三とおり買ってきていた。

「やあ、すまないね」

今西は、すぐに社会面を開いた。

留守の間に、例の捜査がどう進展しているか、気にかかったのだ。新しい事実があられてないか、心配だった。

何もなかった。例の殺人事件のことは一行も書かれていない。

今西は、ほかの二つの新聞を開いた。それにもなかった。

吉村も同じ気持ちとみえて、社会面に目をさらしている。

「何も出ていませんね」

新聞をバサリと閉じて、吉村は言った。

「そうだね」

事件が出ていないとなると気は楽になった。今西は、第一面からゆっくりと読みはじめた。あたりの乗客のほとんどはもう起きていた。あと三十分すると上野着である。

気の早い者は、荷物をまとめていた。

「吉村君、これだろう?」

と、今西が吉村の肘《ひじ》を突っついて新聞を見せたのは、文化欄についている顔写真だった。

吉村がのぞくと「新時代の芸術について」という題で「関川重雄」の署名があった。

「あ、それですよ」

吉村はのぞいて言った。

「本荘の駅で見かけた、あの四人のなかにいた一人です」

「なるほど。そういえば顔が似ているね」

今西は写真をつくづく眺めながら言った。

「やっぱり、こういうところに書くところをみると、偉いんだね」

「現在、マスコミの一方の花形ですよ」

「ヌーボー……？」

「〝ヌーボー・グループ〟です」

「そうそう。こういう連中はみんなそうかい？」

「だいたいそうですね」

「この文章を読んでみても、ぼくにはよくのみこめないが、やっぱり頭がいいんだろうね」

「そうでしょうな」

吉村は、今西から渡された新聞を丹念に読みふけっている。

「おい、着いたよ」

列車は上野駅の構内にはいっていた。吉村も窓をちらっと見て新聞をたたんだ。

「吉村君。万一ということがあるからね、バラバラにおりよう」

第三章　ヌーボー・グループ

1

バンドが絶えずゆるやかな曲を吹奏《すいそう》していた。女の歌手がステージで歌っている。ステージの背後には、このパーティの主催者であるR新聞社の大きな社旗が張られてあった。

小さな社旗が、この豪華なT会館のホールに幾つも交差して張りめぐらされている。その下でおびただしい客が幾つものテーブルを回って、ゆっくりと動いていた。

R新聞社のある事業が完成した記念のカクテルパーティだった。呼ばれた客は、著名な人ばかりである。お手のもののカメラマンが銀盆を捧《ささ》げたボーイの間に立ち混じって、その著名な来賓の顔を写してまわっていた。

入口に社長以下の重役が、モーニングで立って来賓を迎えていたが、その佇立《ちょりつ》の列が崩《くず》れて見えないのは、その宴がかなり進行しているからだった。客はこのホールいっぱいに溢《あふ》れていた。

客たちは、勝手に話しあっている。歌手の独唱を聞いている者もあれば、饒舌《じようぜつ》にふけっている者もいた。花やかな中に混《こ》みあった人間が、水に浮いた砂のように揺れていた。

グラスをかかえた者もいれば、テーブルに備えられた料理に手を出す者もいる。だれもがにこやかに笑っていた。全体として老人が多いのは、それが、いわゆる「有名人」ばかりだったからである。

学者、実業家、文化人、芸術家——さまざまだった。その間をサービスに勤めているのは、このパーティにかり出された銀座の一流のバーのマダムや劇団の若い女優だった。

遅れた客は、あとからも参加した。

そのなかに、一人の若い客が緋色《ひいろ》の絨毯《じゆうたん》を敷いた階段を上がってきた。これは入口に立って、ちょっと戸惑《とまど》ったように客の群れを眺めた。

細面《ほそおもて》で額の広い、神経質な顔立ちの青年だった。

「関川さん」

声を掛けたのは、その群れの中から出てきた小太りのモーニング氏だった。

「どうもお忙しいところをありがとうございました」

その新聞社の文化部次長だった。

「いや」

青年はおとなびた挨拶《あいさつ》をした。

「失礼しました。なかなか盛大ではありませんか」

青年の薄い唇《くちびる》が微笑《ほほえ》んでいる。

「しかし、老人ばかりですな」

見まわした目が冷たかった。

「はあ、こういう会ですからな、しかし、みなさん、向こうにいらっしゃいますよ」

文化部の次長は、手を上げて、見せた。

ホールは屈折している。評論家関川重雄は、客の群れの間を分けて文化部次長の教えた場所へ歩いた。

「ほう、村上順子《むらかみじゅんこ》ですな」

と、ステージに目を投げて言った。おりから歌手は手をドレスの開いた胸の前に組み合わせて声を上げているところだった。関川の目に表情が浮かんだ。

彼は客の群れの間を進んだ。その雑踏で文化部次長とはぐれた。歩いている間でも、関川は、終始、客の顔をその目の端に入れていた。

その群れの切れたところに一団の若い客たちが立っていた。

「よう」

関川を見て笑ったのは、ベレー帽に黒いシャツの前衛画家、片沢睦郎《かたざわむつお》だった。

「遅いじゃないか、今日は来ないかと思ったよ」

と、咎《とが》めるように言った。

「ぎりぎりの仕事があってね。締切りが、今日というものだから、仕方なく書かせられていた」

「よう、この間は」

と、横から言ったのは、劇作家の武辺豊一郎《たけべとよいちろう》だった。

酒で顔が赤くなっていた。

「失敬」

関川は顎《あご》をしゃくった。自然と、ここは同じ若い人びとだけが集まっていた。仲間だ。建築家もいれば、写真家もいる。演出家も映画プロデューサーも、作家もいた。

みんな三十にならない人たちばかりだった。

「秋田にロケットを視察に行ったんだって？」

建築家の淀川龍太《よどがわりゅうた》が、ハイボールのグラスを片手に持って関川重雄の傍《そば》に来た。

「どうだったね、感想は？」

「よかったよ」

関川は言下に答えた。

「ああいうものを見ると、観念がいかに頼りないものかということがわかったね。自然科学の前には、観念ははなはだ薄手なものだよ。ぼくら、日ごろから、いろいろと理論を言っているだろう。だけどね、ああいうものを見ると、いっさいの観念的展開も科学という重圧の前にひしがれて行くような気がするよ」

「君にしてそうかい？」

建築家は、ちょっと皮肉な目つきをした。

「ああ、そうだよ。ぼくは自分の理論にこれまでかなり自信を持っていたがね。正直に言って、科学の前には参ったという感じだ」

「そうすると、君がこの間からしていた川村氏との論争だな、あれなんか……」

「ああいうものは論外さ」

関川重雄は、昂然《こうぜん》と吐き捨てた。

「川村一成《いっせい》なんか」

と、彼は当代の有名な文明批評家の名前を言った。

「けだし、現代のスクラップだね。あんな男は、前代の亡霊をいつまでも背負って、祭壇にすわっている男さ。過去の幻のような背光で利食いしている輩《やから》さ。ああいう手合いは、早く何とかぼくらの手で退治しなければいけない」

このとき、頭の禿《は》げあがった背の高い男が、モーニング姿で現われた。

「やあ、お揃《そろ》いですな」

にこにこして見まわした。この新聞社の文化部長だった。

「みなさんが、こう一堂にお集まりになっているところを見ると、まるで新時代の息《い》吹《ぶ》きが、ここで竜巻《たつまき》をおこしているような感じですよ」

文化部長は少し酔っていた。

「なかなか盛大ですね」

遅刻した関川重雄は言ったが、これはお愛想《あいそ》でなく、日ごろのこの若い評論家の理屈から、部長には皮肉に聞こえた。

「とにかく、こういう行事は古いかもしれませんが、何となく一種のしきたりでしてね」

文化部長は少し顔を赤らめて言った。

「そうそう、あちらに、いろいろ見えておられますよ」

部長は、そこで、美術と文学の当代の大家の名前を、三四人並べた。

「そんなものには興味がありませんよ。われわれは、そんなお年寄りには関心がないんです」

関川重雄が嘲笑《ちょうしょう》を浮かべた。

このとき、会場に一つの小さな変化が起こった。

その変化の渦《うず》は入口の方からはじまった。文化部長がふとその方を振り向いたが、何に驚いたか、若いグループをそこに残すと、人びとを押し分け、あたふたと歩いて去った。

残っている若い連中は、その方角を凝視した。いましも、ある老大家が、この会場に遅れて馳《は》せつけたところだった。

しかし、馳せつけたという言葉は適当でない。大家は年老いている。立派な着物に仙台平《せんだいひら》の袴《はかま》をつけ、白足袋をはいていたが、実にゆったりとした歩き方で会場の中央に進んでいるのだった。まるで子供の歩き方のように遅い。左右からそれを支えるようにしてよりそっている者がいたが、むろん、これは付添ではなく、会場に居合わせた来賓が、逸早《いちはや》く大家を見つけて、走り寄ったのである。

老大家の後ろからも、二三人の者が従っていた。老大家の通る行く手は、会衆が道を開いて迎えた。

大家は、年齢七十ぐらいに見えた。人びとは尊敬と阿諛《あゆ》をまじえた笑顔でおじぎをした。

老大家は、それににこやかに会釈《えしゃく》しながら、よちよちと赤ン坊のように歩いてゆく。社の幹部が先導して、この高名な老大家を上座の一角に案内した。

そこだけは、ソファーが四つか五つ並べられ、美術界、学界、文壇など、あらゆる方面にわたっての大家がつどっていた。

そのなかの一人が、新入来の老大家を見て、急いで席を立って譲った。小さな渦は、その老大家の入来のために起きた、会場のちょっとしたざわめきだった。

「見ろよ」

遠くからこれを眺めていた関川が、仲間に顎をしゃくった。

「あそこにも一人、古色蒼然《こしょくそうぜん》がやってきたぞ」

居合わせた若い仲間は、みんなニヤニヤしていた。

「あれなんか、亡霊の最たる者さ」

「一番ずうずうしい利食い者だな」

あらゆる既成の権威を、この若い連中は、否定していた。既成の制度やモラルを破壊してやまないのが〝ヌーボー・グループ〟に所属する青年たちの主義だった。

「だらしがないね」

と、関川が冷ややかに言った。

「見ろよ。浅尾芳夫《あさおよしお》なぞは、禿げ頭をぺこぺこさしてるぜ」

高名な批評家が、その太った図体を、しきりと老大家にかがめていた。ところが、老大家の方では、突き出した下唇を微《かす》かに動かしただけで、この高名な批評家の敬意など歯牙《しが》にもかけていなかった。老大家は、わざわざこの会に、湘南《しょうなん》の隠宅から上京してきたのだった。

たちまち、老大家の周囲に人が集まった。R新聞社の社長が、ていねいに大家の前に出ておじぎをしていた。

フラッシュが大家の顔にしばらく閃光《せんこう》をつづけた。

「浅尾芳夫なんか俗物だね」

と、関川重雄が冷笑した。

「書いてるものを見ると、もっともらしいことを言ってるが、あのザマを見ると、しょせん、奴《やつ》だって、権威の追随者だよ。あわれむべき奴だ」

ふと関川重雄が途中でみなの顔を見まわした。

「ところで、和賀はどこへ行ったのかな？」

関川重雄が、和賀はどこへ行った、ときいたのは、若い作曲家の和賀英良のことだった。

「和賀なら、大村泰一《おおむらたいいち》氏のところにいるよ」

「大村さん？」

「ほら、例の老人連中のたまり場さ」

関川重雄は、首をまわした。さっき、老大家がすわったばかりの席だった。もっとも、ここと、その席との間には、絶えず人が群れあっているので、定かにはわからない。

「ふむ」

関川重雄に、軽い反発の色が表われた。

「やつ、なんであんな男のところにのこのこ行くのだろう？」

これはひとりでに出た呟《つぶや》きに似ていた。

大村泰一氏は、当代の碩学《せきがく》である。大学の学長の経歴を持ち、古いリベラリストとして、あまりにも高名だった。

「そりゃ仕方がないさ」

と、劇作家の武辺豊一郎が言った。

「なにしろ、大村氏は、和賀のフィアンセの親戚《しんせき》だからな」

「そうか。なるほど」

関川は応《こた》えたが、かえって反発の表情は濃くなった。

演出家の笹村一郎《ささむらいちろう》が人の群れの中から抜けて現われた。

「よう」

彼のくせで、挨拶《あいさつ》はかえって顎を上に向けるのである。

「揃ったね」

と、彼自身が満足そうだった。

「どうだい、この会の帰りに、みんなでどこかに押し出そうか？」

賑《にぎ》やかなことが好きな青年だった。

「よかろう」

劇作家の武辺が応じた。演出家と絶えずつきあっているので、ウマが合った。

「関川、君はどうだい？」

笹村が言った。

「そうだね」

関川は、ちょっと考える顔をした。

「君がそんな顔つきをすると、なんでも曰《いわ》くありげに見えるから妙さ」

演出家が軽く笑った。

若い批評家の関川重雄は、その論争が先鋭的なことで知られていた。これまで、大家に食ってかかったことも一再ではない。人を人と思わない、その不逞《ふてい》な度胸が、若い世代に喝采《かっさい》を博した。相手が不快な感じを起こそうが、かまうことはなかった。ふたたび断わっておくが、このグループは、これまでのいっさいの既成観念や、制度や、秩序を破壊するためにあった。若い年齢ばかりなのである。

「関川」

と、演出家はまだすすめた。

「日和見《ひよりみ》主義は、君の最も糾弾《きゅうだん》するところだろう。われわれの提案に逡巡《しゅんじゅん》するな」

演出家は、冗談を言った。

このとき、向こうの席から、人びとの間を和賀英良が帰ってくるところだった。女のように顔の白い青年だった。髪の生えぎわも婦人のようにやさしい。

「和賀先生」

会衆の中から近づいてきて呼び止めたのは、先ほどまでステージで歌っていた村上順子だった。

「先生」

呼び止めた歌手は、人前もはばからず、和賀英良に婉然《えんぜん》たる挨拶をした。光ったイブニングドレスの裾《すそ》を摘《つ》まみ、羽のように広げて、上半身を沈めた。

「やあ」

和賀英良は、立ち止まった。歌手から見ると、弟のように幼い顔つきをしていた。だが、歌手の方がかえって彼に気遅れした表情をしていた。

「もう先から、先生にお会いしようと思ってたんです。お願いがあるんですが、伺ってよろしいでしょうか?」

先生と呼ぶには、およそ似つかわしくない年齢だった。和賀英良は二十八歳という年より、まだ若く見える。

「何ですか?」

和賀は傍若無人《ぼうじゃくぶじん》に、この美人の名の高い歌手の顔に目を据《す》えた。そのたじろがない視線に、歌手は顔をあからめた。ふだんは、そのような弱い気性の女ではないのである。

「いいえ、今度お目にかかってから申しあげますわ。お願いごとなんですの」

「ここでは言えませんか？」

和賀は表情を崩さなかった。

「ええ、ちょっと」

歌手は口ごもっていた。

「そう。だが、ぼくも忙しいもんですからね」

「よく存じていますわ。でも、わたくしの仕事のうえで大事なお願いごとなんですの。ぜひ、お目にかからせていただきたいんですの」

「電話をください」

和賀英良は言った。

「あの、いつでもよろしいんでしょうか？」

歌手は気がねした。

「電話だけならね」

和賀は言った。

「なにしろ、いろいろと用事が多いので、電話をいただいても、すぐお目にかかれるかどうかわかりませんよ」

およそ愛想というものがなかった。

だが、この無礼な言い方にも、人気歌手は腹を立てなかった。

「よく存じておりますわ。では、近いうち、お電話だけ差しあげます。よろしくお願いしますわ」

美しい歌手は、上気した顔を微笑させて、ドレスの裾を摘まんで、また体を折った。

周囲の連中が、無愛想に歌手のそばから離れてゆく新進作曲家の颯爽《さっそう》とした後ろ姿を見送った。

和賀英良が若い仲間のところにきたときは、その表情が自分のものになっていた。

「よう」

彼は関川重雄と淀川龍太に微笑《わらい》を向けた。

「しばらく」

と言ったのは、淀川の方へである。それから、関川にはこの間はどうも、と言った。

東北地方のロケットの見学に行った同行のことを言うのである。

「なんだい、今のは？」

関川が村上順子の挨拶の場面を眺めていたらしく、薄ら笑いをしてきいた。

「なに」

和賀英良の若い眉《まゆ》に冷笑が出ていた。

「ぼくに用事があると言うんだがね。どうせ自分のために作曲をしてくれと言うのだろう。向こう見ずの女さ」

「そんなのがいるよ」

関川がすぐに言った。

「なんとなく、新しい方向に目を向けたがっている。ところが、当人は、本質的にはそうじゃないんだ。自己の宣伝や、保身のために、われわれを利用しようというだけの話で、その根性が見えすいているね。ぼくんとこにも似たようなやつがやってくるよ」

「だから、身のほど知らずというのさ」

和賀は言った。

「あんな通俗な歌ばかりうたってる女に、おれの芸術がわかるはずがない。目新しさだけを狙《ねら》っているんだな。だいたい、おれがあんなやつのために仕事をするとでも思ってるのか」

給仕が、銀盆にのせたグラスを持ってまわってきたので、和賀英良は、ハイボールのグラスを盆の上からえらんだ。

「どうもおもしろくない会だな」

建築家の淀川が言った。

「もう、この辺でずらかろうじゃないか。どうせ、こんなところに長くいたって、われわれには何のプラスにもならないよ」

「いや、そうではない」

と、関川がしかつめ顔に言った。

「少なくとも、過去の老廃した連中を見ただけでも、参考になった」

「さっきも、相談していたんだがね」

と、建築家が横から作曲家に言った。

「みんなで、これから銀座あたりに足を伸ばそうというんだ。君、どうだい？」

「そうだな」

和賀英良は、ちらりと腕時計を見た。

「何か約束があるのか？」

関川が薄ら笑いしてきいた。

「ないこともない。少しの間だったら、つきあうよ」

和賀のこの返事を、関川重雄は少し眉をよせて受け取った。

「話が決まったら、そうしよう」

淀川龍太が言った。

「じゃ、おれは、これから出るぜ」

彼は、まっ先に人混みを分けて消えた。

「関川」

と、和賀は言った。

「君も行くのか？」

「行ってもいい」

関川は、答えた。

おりから、ステージには、新しい音楽がはじまっていた。

2

クラブ・ボヌールは、銀座裏にあった。

ビルの二階で、あまり大きくはないが高級なバーだった。実業家や文化人が集まるところでも名前が高かった。

宵《よい》の口だったが、客が来ていた。はやっている店なのである。これが九時を過ぎると、あとからはいってくる客が、入口で立往生しなければならないほど混みあう。大学で哲学を教えている助教授と、史学を教えている教授とが、片隅《かたすみ》のボックスで飲んでいた。そのほか、会社の重役らしいのが二組いた。まだ静かなのである。女給たちは、ほとんどがこの三つの組に付いていた。重役は上品な猥談《わいだん》を話し、教授たちは大学への不満を語っていた。

そこに、ドアをあおって五人の青年たちがはいってきた。

女給たちは振り向いた。

「いらっしゃいませ」

女の子たちの大部分が、その新しい客の方へ流れた。背の高いマダムが、重役のそばを離れて新しい客たちに近づいていった。

「まあ、しばらく。どうぞこちらへ」

広いボックスがすいていた。それでも足りなく、ほかの椅子《いす》を持ち出して、横に並べた。客はボックスに向かいあってすわり、その間に女たちが適当に挟《はさ》まった。

「みなさま、お揃いで」

マダムが満面に微笑《わらい》を見せて言った。

「どこのお集まりでしたの？」

「なに、くだらん会があってね。ちょうど、みんなの顔が揃ったので、口直しにここに来たんだ」

演出家の笹村一郎が口を切った。

「どうもありがとう。ようこそ」

「笹村先生」

顔の細い女給が言った。

「ずいぶんしばらくですのね。こないだ、いらしたときずいぶんお酔いになってお帰りになったので、心配してましたわ」

「やあ、あのときは失敬。あれで事故なしに帰れたよ」

「笹村、君、だれと来たんだい？」

関川重雄が横からきいた。

「なに、雑誌社の座談会の流れでね。気に食わないのが一人いたものだから、すぐ素直に帰る気がせずに、ここに寄って飲んだんだよ。つい、飲み過ごして、不覚を取った」

「みんなで車までお運びしたの。そりゃもう大変」

女給が関川に笑った。

ここにいるのは、演出家の笹村一郎、劇作家の武辺豊一郎、評論家の関川重雄、作曲家の和賀英良、建築家の淀川龍太の五人だった。画家の片沢睦郎はよそに回っていた。

「みなさま、何を召しあがります？」

マダムがそれぞれの顔に愛嬌《あいきょう》のある瞳《め》を一巡させた。

五人は、それぞれ注文を出した。

「和賀先生」

マダムは、作曲家に顔を向けた。

「いつぞやは、失礼いたしました。お元気でいらっしゃいますか？」

「このとおりだよ」

和賀は、体の向きをマダムの方に変えた。

「いいえ、先生のことじゃありませんわ。あちらさまです」

「和賀」

と、隣の演出家が肩を叩《たた》いた。

「やられたな。君、どこでマダムに見つけられたんだ？」

「いいとこ。ね？」

マダムが片目を細めて笑った。

「そりゃ、ナイトクラブだろう？」

和賀英良は、マダムの顔を見た。

「あきれたもんだ。ずけずけと言っている」

笹村が横で言った。

「拝見しましたわ。おきれいな方ですのね」

と、マダムは微笑した。

「雑誌などで、お写真を拝見したことがあるんですけれど、実際にお目にかかった方がずっとおきれいですわ。先生、お仕合わせですのね」

「そうかな」

和賀は首をかしげ、運ばれたグラスを手に取った。

「和賀のフィアンセのために」

と、やはり演出家が音頭を取った。グラスが触れあって鳴った。

「そうかな、だって……」

マダムは和賀を睨《にら》んで言った。

「先生は、日本じゅうの仕合わせを一人で背負ってらっしゃるみたいですわ。お仕事はご立派で、若い方のチャンピオンだし、立派な方とのご結婚も決まっていらっしゃるし、ほんとに、お羨《うらやま》しいわ」

「わたしたちもあやかりたいわ」

居合わせた女給たちも、和賀を見て口々に言った。

「そうかな」

和賀はまた呟《つぶや》いて目を伏せた。

「あら、まだあんなことを……先生、てれていらっしゃるわ」

「べつに、てれやしないさ。ただ、ぼくは、何ごとにつけても懐疑的でね。いつも自分を外において眺めている性質さ。これは性分だから……」

「やっぱり芸術家だわ」

と、マダムがすかさず言った。

「わたくしたち、仕合わせだと、すぐに自分でおぼれるでしょ。だからいけないのね。和賀先生みたいに分析ってことができないのよ」

「だもんだから、ときどき、失敗するのね」

ほかの女給が調子を合わせた。

「でも、どんなに自分を外においてお眺めになっても、お仕合わせには変わりがないでしょ。ねえ、関川先生」

マダムは、横の批評家を振り向いた。

「そうだ。人間、幸福な場合は、無心にそれに没入した方がいいと思うな。よけいな分析や、客観的な眺め方っていうのはどうかな」

関川重雄は、眉の間に浅い皺《しわ》を立てて意見を吐いた。その顔を和賀がちらりと見た。が、何も言わなかった。

「で、ご結婚式はいつになりますの？」

「そうそう、何かの雑誌で拝見しましたわ。今年の秋なんですって。お二人の写真が出てましたわ」

と、別な女給が言った。痩《や》せがたのきれいな女だった。黒い絹のドレスを着ている。

「あんなのは、いい加減なものさ。くだらない」

和賀は言った。

「興味本位で書かれていることに、責任は持てないね」

「しかし、ナイトクラブあたりに彼女と出没してるところをみると、相当むつまじいわけだな」

これは建築家の淀川が言った。

「そりゃ、もう……」

と、マダムが引き取った。

「お踊りになってるのを拝見したんですけれど、とても呼吸《いき》が合ってましたわ。わたくし、お客さまとごいっしょのテーブルでしたけれど、その方も、うっとりとお二方を眺めていらっしゃるんです」

「へええ」

女給が手を叩いた。劇作家と批評家とは、仲間の話をはじめていた。

「なんだい、あれは?」

教授が賑《にぎ》やかな向こうのボックスを向いて言った。

「ヌーボー・グループの方たちですわ」

見ている女給は説明した。

「ヌーボー・グループってなんだい」

「最近、売り出しの若い芸術家たちですよ」

哲学を教えている助教授が言った。

「みんな三十前ですがね、近ごろの若い世代を代表してるようなグループです。在来のモラルや、秩序や、観念を一切《いっさい》否定して、その破壊にかかっている人たちです」

「ああ、そういえば聞いたな」

史学の教授は言った。

「新聞でそんなことを読んだような気がする」

「先生の目にも触れるくらいに、最近のマスコミにおける彼らの活動は、花々しいものですよ。ほら、ここのマダムの前にすわってる、髪の毛のもつれたような男が、作曲家の和賀英良です。彼の芸術もまた、在来の音楽について破壊を試みているんです」

「君、説明の方は結構ですよ。その次は、だれですか？」

教授は、酔った目を若い顔に向けていた。

「その隣が、演出家の笹村というひとです」

「演出家もそうかね？」

「そうです。彼もまた勇敢に演劇の革命を志しています」

「ぼくの若いころは」

と教授は言った。

「築地小劇場《つきじしょうげきじょう》というのがあってね、青年たちの血を燃やしたもんだ。そういう運動かね？」

「それとは、ちょっと違いますが」

助教授は当惑顔で言った。

「もっと大胆というか、創造というか、そういうものが強いんです」

「なるほど。次は？」

「次は劇作家の武辺君だろう？」

助教授はちょっと自信を失って女給を見た。

「そうですわ。武辺先生です」

助教授は、雑誌の顔写真で見た覚えがある。

「後ろ向きになっているのは、だれだね？」

「批評家の関川先生ですわ」

「その次の、女の子の隣は？」

「建築家の淀川先生です」

「みんな先生だね」

教授は、皮肉な微笑《わらい》を洩《も》らした。

「あの若さで先生と呼ばれるのは偉い」

「今では何でも先生です。暴力団の幹部でも先生ですからね」

「連中、何をあんなに笑ってるんだね」

「和賀先生のことじゃないでしょうか」

女給は、向こうの話し声を耳に入れていた。

「和賀君がどうしたんだ?」

「和賀先生のフィアンセが、田所佐知子《たどころさちこ》さんです。ほら女流彫刻家として売り出しの新進ですが、お父さまが前大臣の田所重喜《しげよし》さんですから、その方でも有名です」

「ああ、そう」

史学の教授は、それに興味はなさそうだった。

ところが、同じ話が別のボックスの重役の方でも取りかわされていた。

「ああ、田所重喜……」

重役は、若い芸術家たちの名前は知らなかったが、前大臣の名前が出て、急に驚嘆した目つきになった。

時間がたつにつれ、店には客がふえてきた。

たいてい二三人連れだったので、依然として、若い連中の賑やかなボックスは皆の注意を受けた。

煙草《たばこ》の煙と、賑やかな声とが、薄暗い部屋の中に充満しはじめた。

このとき、入口のドアを静かにあけて、年輩の紳士がはいってきた。長い頭髪が半白だった。太い鉄ぶちの眼鏡を掛けている。

彼は鷹揚《おうよう》な足どりで奥に向かいかけたが、途中でふと若い連中のボックスに目をやったとたん、迷った顔になった。

「いらっしゃいませ、三田《みた》先生」

紳士は、いわゆる文明批評家だった。文学だけでなしに、美術方面や風俗にも時評の筆をふるっていた。三田謙三《けんぞう》というと、有名人である。

三田氏が、その若いグループに目をとめたとき、若い連中の目も彼を認めた。

「三田先生」

立ちあがったのは、関川だった。

「今晩は」

三田氏の顔に当惑の微笑が広がった。

「ほう、君たち、ここに来ているんですか?」

「ときどきです」

「そう。なかなか盛大ですね」

三田氏は、あとの言葉を失って当惑げに立っていた。

「先生、三田先生、どうぞこちらへ」

と言ったのは、建築家の淀川龍太だった。

「いや、これは。しかし、ぼくは、あとでお邪魔しますよ」

三田氏は、ちょうど迎えにきた女給といっしょになって歩き、彼らには軽く会釈を残した。

「逃げた」

と、一番に関川が言った。声は小さかったが、つづいてみなの哄笑《こうしょう》が起こった。

関川は、この三田氏を、かねてから低俗なる批評家だと軽蔑《けいべつ》していた。彼は「何でも屋」という渾名《あだな》を三田氏に陰で呈上していた。

若いボックスは、それからも騒いだ。帰ろう、と一番に言い出したのは、和賀英良だった。

「ちょっと、約束があるんだ」

「あら、先生、おうれしそうね」

と、痩せがたの女給が手を叩いた。

「ぼくも帰ろう。用事を思い出した」

関川が少し不快そうな顔をして言った。

それをきっかけに、みなはぞろぞろと立ちあがった。ほかの客席についていたマダムが走ってきて、それぞれに握手を求めた。みなは表へ流れ出た。

「関川」

と、劇作家が呼んだ。

「君は、どこへ行くんだい？」

「君たちと反対の方角だ。失敬する」

劇作家は、彼の顔を見ていたが、諦《あきら》めて、建築家と演出家と組になった。このとき、和賀英良は手を振っただけで、勝手に大通りの方へ歩いて行くところだった。

関川重雄の目が、それを見送った。

彼は、くわえた煙草を道に捨てると、別の方向へ歩いた。

「先生、お花はいかが？」

若い娘が寄ってきた。関川は、それをじゃけんに払った。

彼は街角に電話ボックスを見つけると、つかつかとそれにはいった。彼は手帳も見ないで、ダイヤルをまわした。

関川重雄がタクシーに乗って、その家の前で降りたのは、かっきり十一時だった。

それまで、彼は、よそで時間を消してきた。

渋谷《しぶや》の坂を登って、住宅街の多い場所に、その家はあった。門があるが、これはいつでもあいている。門だけではなく、そこをはいって玄関に来ても、一晩じゅう、出入りができた。玄関には暗い電灯がついている。

不用心な話だが、これはアパートだった。玄関をはいると、すぐに階段になっている。すると、廊下にも弱い燭光《しょっこう》の電灯がついている。廊下の両側は部屋がならび、ドアには内側から鍵《かぎ》が差してある。

関川重雄は昼間、絶対にここに来ることはない。彼がだれにも見とがめられずに一番奥の部屋に来られるのは、このおそい時間のせいだった。そのドアには、「三浦恵《みうらえ》美子《みこ》」という名刺が貼《は》ってあった。関川はドアを指先で触れる程度に軽く叩いた。

内側からドアが細目にあいた。

「お帰んなさい」

若い女の顔だった。

関川は黙ってはいった。女は黒い服をふだん着のセーターに着替えていた。さっきクラブ・ボヌールにいた痩せがたの女給である。

「暑いでしょ。お脱ぎなさいよ」

恵美子は、関川の上着を取って、洋服掛けに通した。

六畳ばかりの部屋だった。整理ダンスや、三面鏡や、洋服ダンスなどが壁をふさいでいるので、ひどく狭い。さすがに、女ひとりの部屋だった。器用に整理されている。部屋には匂《にお》いがしている。彼が来るとき、女は決まって香水を撒《ま》いた。

関川があぐらをかくと、すぐに女はおしぼりを持ってきた。

「いつ、帰ったんだい？」

関川は顔を拭《ふ》きながらきいた。

「たった今ですわ。お電話をもらって、すぐにお店に断わって出たんです。途中だから辛《つら》かったわ」

「ぼくが店に来たので、すぐ察すればよかった」

「だって、何もおっしゃらないんですもの。合図もなかったわ」

「うるさい連中ばかり、あんなに大勢では、しようがない」

「そうね。みんなカンのいい方ばかりだから。でも、うれしかったわ。予告なしに不意にいらっしゃるんですもの」

恵美子は、関川の方に体をすりよせた。急に、関川が彼女の肩を手で摑《つか》むと、女はその腕の中に崩れ落ちた。

「なんだい、あれは？」

関川が音を聞きつけ、唇《くちびる》を放してきいた。

恵美子は目を開いた。

「マージャンですわ」

「なるほど、牌《パイ》の音だな」

「学生さんだわ。今日土曜日でしょ。土曜日の晩だと、決まってあれなの」

「徹夜でやってるのか？」

「そう。おとなしい学生さんだけれど、土曜日になると友だちが集まるのよ」

「筋向かいの部屋だったな？」

「そうよ、初め、あの音がうるさくてしようがなかったけれど、若い人だし、我慢していたうちに、わたしも慣れてきたわ」

「じゃ、一晩じゅう起きてるわけだな？」

関川はいやな顔をした。

3

「何か召しあがる？」

恵美子はきいた。

「そうだな、少し腹が減ったな」

関川重雄は、ワイシャツを脱いで捨てた。恵美子は、それを取って広げ、洋服掛けに袖《そで》を通した。

「だろうと思ったわ。あれから何も食べてらっしゃらないんでしょ?」

「パーティでサンドウィッチをつまんだだけだ」

「あっさりしたものを作っておきましたわ」

恵美子は、台所から皿《さら》を持ち出した。食卓の上に用意したものは、刺身と、蒸しガレイと、漬《つ》けものだった。

「何だい、これは?」

「スズキよ。おすし屋さんに行って、無理に分けてもらってきたの。いま、スズキがとってもおいしいんですって」

恵美子は、茶碗《ちゃわん》に飯をよそった。茶碗は、この部屋に関川のものがいつも置いてある。

関川は、黙々として食べた。

「何を考えてらっしゃるの?」

恵美子は、真向かいから彼の表情を覗《のぞ》いた。

「何も考えてない」

「だって、黙って食べてらっしゃるんですもの」

「べつに話すことがないからね」

「そう。でも、何か話してくださらないと寂しいわ。みなさまとどこでお別れになったの？」

「ボヌールを出てすぐだ」

「和賀さんは？」

「和賀は、フィアンセのとこにでも行ったんだろう」

恵美子は、ちらりと関川の不機嫌《ふきげん》そうな顔をうかがった。

「お代わりは？」

「もういい」

関川は、茶碗に茶を注《つ》がせた。

「店は忙しいのかい？」

関川は、話を変えた。

「ええ、このごろ、とっても。ですから、今晩、途中で帰ってくるのが辛かったわ」

「悪かったね」

「ううん、あなたならいいの」

「店の者は気づいていないのかい?」

「大丈夫。何も知らないわ」

「しかし、電話に出たやつが、ぼくの声を覚えていないかな?」

「大丈夫よ。わかりっこないわ。わたしにかかってくるお客さんの電話は多いんですから」

「売れっ子だからな」

「あんなことを。そりゃあ商売してるんですもの、少しはお客さまを持たないと、肩身がせまいわ」

関川重雄は、薄ら笑いした。全体が、冷たい感じだった。しかし、女は、その顔をほれぼれと眺《なが》めていた。

廊下を大股《おおまた》で踏む足音が聞こえた。

「うるさいな。今晩じゅう、ああやってトイレに行くんだろうな?」

関川は顔をしかめた。

「そりゃあ、しようがないわ」

「学生にぼくの顔を見られたことはないだろうな」

「大丈夫よ……。でも、いやだわ。そういちいち気をつかって」

関川は鼻で笑い、シャツを脱いだ。

恵美子がスタンドをつけ、灯を消した。布団《ふとん》の枕《まくら》もとだけが明るくなった。恵美子はスリップを体からすべらせて剝《は》いだ。

「煙草をくれ」

関川は寝返り打って言った。

「はい」

傍《そば》の恵美子が素早く身支度をして、消したスタンドの灯をつけた。恵美子は、食卓にのっている煙草の箱から一本抜いて口にくわえ、マッチをすって自分ですい、それを関川の唇《くちびる》にくわえさした。

関川は、仰向けになったまま煙草をふかしていた。

煙草をすいながら目をあけている。

「何を考えてらっしゃるの？」

恵美子は、関川の傍に戻《もど》って横たわった。

やはり煙草をすったままである。

「うむ」

「いやな方。さっきから、ずっとそうだわ。お仕事のこと？」

返事はなかった。牌《パイ》を混ぜる音が遠くから聞こえる。

「少々うるさいな」

「気になさるからそうなんだわ。わたしは慣れて平気……はい、灰が落ちます」

恵美子は、灰皿を手に取り、関川の唇から煙草を取って、灰を落とし、また彼の唇に戻した。

「和賀さん、おいくつかしら？」

恵美子は、男の横顔を見て言った。

「二十八だろう」

「じゃ、あなたより一つ上ね。佐知子さんは、おいくつかしら？」

「三十二か三だろう」

関川はぼそりと言った。

「お年もちょうど似合いね。秋に結婚だって、何かの雑誌にのってたけれど、ほんとかしら？」

「やるだろうな、あいつのことだから」

興味のない声だった。枕もとのスタンドの加減で、光が彼の額と鼻の頭だけに薄く当たっている。

「佐知子さんは新進の彫刻家だし、お父さまはお金持ちで有名だし、和賀さんは恵まれた方だわ。あなたも、そういう結婚なさったらどう？」

恵美子は、男の顔にじっと目を据《す》えた。

「ばかな」

吐き出すように関川は言った。

「おれは、和賀とは違うよ。あんな政略結婚なんかしない」

「あら、政略結婚かしら？　恋愛だって、雑誌に書いてあったわ」

「どちらでもおんなじだ。和賀の気持ちの中には、そういう出世主義が潜《ひそ》んでいるんだ」

「だったら、和賀さんの、いえ、あなた方のグループの主張とは違うわね」

「和賀の奴《やつ》は、一応、理屈を言ってる。おれはどんなところから娘をもらっても決して妥協はしない、佐知子のおやじだって全然むこう側の人間だと言っている。むしろ、そういう結婚によって、かえってむこう側の内部がわかるから勇敢に戦えると、奴一流の詭弁《きべん》を弄《ろう》しているが、根性は見えすいているよ」

関川は、手を伸ばして煙草を灰皿に投げた。

「じゃ、あなたは、そんな結婚なさらないの？」

「ごめんだね」

「ほんと？」

恵美子は、男の胸へ手をまわした。

「恵美子」

関川重雄は、女に胸を巻かれたまま低い声で言った。

「このあいだのあれは、ぼくの言うとおりにしただろうな？」

目を天井に向けたままだった。

瞳《ひとみ》が動いていない。

「大丈夫よ」

彼はふっと息を吐いた。女は男に髪の毛を撫《な》でられていた。

「安心してください。わたし、あなたのためなら、どんなことでもするわ」

「そうか」

「ええ、どんなことでも。そりゃ、あなたがいま大事な時だってことわかってるんです。あなたはもっと偉くならなければなりません。だから、どんな秘密をおっしゃっても、わたしにだけは大丈夫よ」

関川は体の向きを変え、彼女の頸《くび》の後ろに手を差し入れた。

「きっとだね？」

「あなたのためだったら、死んでもいいくらい」

「ぼくらのことは、絶対に人にさとられてはいけない。わかってるだろうね？」

「わかってるわ。必ず約束を守るわ」

関川の顔がふと暗くなった。

「今、何時だ？」

女は枕もとに置いてある腕時計を取って眺めた。

「十二時十分だわ」

関川は黙って起きた。

女はだまって男が身支度するのを、諦《あきら》めた目で見ていた。

「帰るの？」

男はシャツを着てズボンをはいた。

「わかってるんだけど、やっぱり、何かを言いたくなるの。時には泊まっていただきたいわ」

「ばかな」

関川は言下に小声で叱《しか》った。

「今、言って聞かせたばかりじゃないか。明るくなって、ぼくがこのアパートを出られるかい？」

「そりゃあ、わかってるわ。でも、わかっていながら、そう言いたくなるの」

関川は、ドアの方に歩いて、細目にあけた。廊下にはだれもいなかった。

彼は廊下に忍び出た。

牌を混ぜる音が、通りがかりの横のドアからもれていた。

このアパートは、あいにくと手洗いが共同だった。

関川は往復とも用心した。廊下にはうす暗い電灯の光が当たっているだけである。

関川はスリッパの音を忍ばせた。

横からドアがあいた。これが突然だったので、関川はびっくりした。

大学生が一人、これも思わぬところで人間に出会ったように、ぎょっとして棒立ちになった。瞬間、関川は、顔を横に振って、彼のそばをすり抜けた。狭い廊下だったし、とっさに引き返すこともできなかった。

恵美子の部屋の前に戻ったとき、関川は気になって思わず後ろを振り返った。これがいけなかった。先方でも手洗いの方に歩きながら振り返ったところだった。

二人の顔が真正面に合った。

ドアをしめて部屋にはいったときに、関川はこわい顔をして、しばらくそこに立っていた。

恵美子がその顔を見て、

「どうしたの?」

と、布団から上体を起こしてきいた。

「そんな顔をして」

関川はまだその場から動かなかった。顔色がわるかった。

「ねえ、どうしたの?」

関川は返事をしなかった。

彼は黙って畳の上にすわると、食卓の上の煙草をとり、すいはじめた。

恵美子が布団から起きてきた。

「何かあったの?」

覗くように、男の真向かいにすわった。

関川は煙だけ吐いている。

「変ね、そんな顔をなさって」

関川は低く答えた。

「見られた」

この声が低すぎたので、女はきき返した。

「え、なに？」

「見られたんだ」

女は目を大きくした。

「えっ、だれに？」

「前の学生だ」

関川は、煙草をはさんだ手を額に当てた。恵美子は、その様子を見守っていたが、

「大丈夫よ。きっと先方にはわからなかったでしょ。すれ違ったくらいでは」

と言った。

「そうじゃないんだ。ぼくが振り向いたとき、向こうでもじっとぼくの顔を見ていたんだ」

「へええ」

「あれじゃ真正面だ」

恵美子は、関川の憂鬱《ゆううつ》な表情をしばらく見ていたが、

「平気よ」

と、慰めるように笑いかけた。

「あなたがそう思ってるだけだわ。あんがい、先方はあなたの顔なんか見てやしないわ……。ちょっと見たぐらいではわかるはずがないし、また、いつまでも覚えてなんかいるもんですか。それに廊下の電灯が暗いでしょ。昼間だったら別だけど、大丈夫よ」

関川はまだ暗い顔つきを解かなかった。

「覚えてなきゃいいがな」

「覚えてないわ。どんな人、あなたを見たってのは？」

「そうだな、丸顔の男だ。背のずんぐりした……」

恵美子はうなずいた。

「だったら違うわ。前の学生さんじゃないわ。前の学生さんは痩《や》せて背が高いの。あなたが見たのはきっと遊びにきた友だちだわ。だから、よけいに、あなたの顔なんか知るわけはないわ」

「友だちか……」

「安心なさいよ」

女は少し恨めしげに関川を凝視した。

「いやあね、ちょっとしたことでもそうなんだから。あなたとはもう一年になるけれど、いつもこう用心深いのね」

女は溜息《ためいき》をついた。

「帰る！」

関川は言い、急いで立ちあがった。

帰り支度をする男に、恵美子は何も言わないで手伝った。

4

三人の学生が牌《パイ》を並べて待っているところに、手洗いから戻ってきたずんぐりした学生が、

「失敬」

と言って、卓の前にすわった。

「今、何時だい？」

彼は何となくきいた。

「十二時二十分だ」

「いよいよ、これからだな。夜明けまで、あと五時間だ」

隣の学生が言った。

「久保田《くぼた》」

と、真向かいの学生が戻った男に言った。

「今度は、君が親だ」

久保田という学生は、賽《さい》を振った。

「おう、ゾロ目だな。こいつはいい」

みんなが牌をつまんで、自分の前に立てた。

「青木」

と、牌を先頭に捨てながら久保田が言った。青木というのが、この部屋の主人《あるじ》である。

「この筋向かいの部屋は、借主が変わったのかい？」

「筋向かい？」

牌をつもって、

「いや、べつに変わってないが」

「あの部屋は、たしか女給さんだったな？」

「そうだ。銀座の女給だ」

「おや？　のっけから紅中《ホンチュン》をすててきやがったな。さてはおめえ、何かガメるつもりか」

次の学生が、自分の捨牌《すてパイ》を選びながら、

「その女給って女、美人かい？」

ときいた。

「おめえ、見たことないのか？」

「ここに来るのが三度目だ。まだ一度も会ったことがねえな」

「まず、美人の方だろうな。おい、久保田、どうしてそんなことをきくんだい？」

「今、男がはいって行ったからさ」

「男？」

これは、隣でつもっていた男がちょっと牌を止めたぐらいに、興味を持ったらしかった。

「さては、くわえこんできたかな。おもしろくもねえ」

「そんな女ではないがな」

青木が首をかしげた。

「今まで一度もなかったことだ。おめえの見間違いじゃないか？」

青木は対面《トイメン》の久保田に顔を上げた。

「振り返ったとき、向こうでも、あの部屋の入口でおれを見ていたから、間違いっこはないよ」

久保田は答えた。

「へえ、そいつは初めてだ。どんな男だ？」

「若い男だ。そうだな、二十七八ぐらいだろうか。細面《ほそおもて》の男でね、頭の毛をぼさぼさと伸ばしていた。待てよ、どこかで見たような顔だが」

久保田は、考えるような顔つきになっていた。

「おい、おめえの番だぞ」

それから五六回、番が一巡した。まん中に捨牌がふえてゆく。その白い象牙《ぞうげ》の肌《はだ》の上に、電灯が光をにぶく落としていた。

「どうも見たような顔だな……」

久保田がまた呟《つぶや》いた。

「そんなにおめえ気になるのか。そんなら今度、あの女給さんにきいといてやろう」

「ふん、それほど強い興味はないがね。廊下で互いが振り返ったんだ。その顔にどこか見覚えがあるんだよ。はてな、どうも思い出さん」

久保田という学生はひとりごとのように言っていた。

関川重雄は廊下に出た。足音を忍ばせて階段のおり口に向かった。幸い、今度は学生は現われなかった。ドアの内側で牌を捨てる音と話し声とが混じりあっている。

こっそりと階段をおりて靴《くつ》を履《は》いた。玄関を出る。後ろ手に格子戸《こうしど》をしめて門の外に出たときは、正直、ほっとした。

通りの家は全部戸を入れていた。歩いている人間はひとりもいない。午前一時近かった。

関川は暗い道を大通りに向かって歩いた。流しのタクシーをつかまえるには、そこまで歩かねばならぬ。

学生に顔を見られたことがまだ気にかかっていた。恵美子が言うとおり、相手は彼の顔を覚えていないかもしれない、そう思ってみたい一方、相手にこちらの顔を完全に記憶されてしまったような気もする。

今の学生はだらしがない。徹夜でマージャンをやってどうする気だろう。物情騒然たる現代に、あのような遊びごとで精力を消耗させる学生の気持ちがわからない。最も程度の低い奴だ。

大通りに出ると、タクシーのヘッドライトが続いている。深夜だが、昼間のようにタクシーは走っていた。空車が少ない。窓に映っている客の影はアベックが多かった。

やっと空車が来たので、関川は手をあげた。

「中野まで行ってくれ」

「わかりました」

タクシーは都電の線路沿いにものすごいスピードで走り出す。

「旦那《だんな》、ずいぶん、遅いですね」

運転手は背中越しに話しかけた。

「ああ、ちょっと、友だちとマージャンをやってね」

関川は煙草《たばこ》に火をつけた。

「どうだね、このごろ景気は？」

「そうですな、去年よりは少しいいようです」

「近ごろ空車が少ないというじゃないか。景気がよくなったのだろうな」

「タクシーを利用なさるお客さんがふえたのですよ」

「そうだろうね。ちょっと前までは、ラッシュアワーか、雨が降る日以外は、空車がごろごろ走っていたものだが、近ごろはめったにそんなこともないね。今度、運輸省から増車の割当てが決まったそうだが、タクシー会社は大喜びだろうな？」

「そんなことはありませんよ。ウチの会社は、これで大きい方ですが、たった十台しか割当てがなかったそうです。会社では憤慨していますよ」

「運輸省の方針では、既存業者よりも新規営業者の方に重点的に割当てを与えるらしいからね」

ここまで関川が言ったとき、突然、運転手は別なことを言った。

「旦那は東北の方ではないですか？」

「え、どうしてわかる？」

関川はどきっとした。

「それは訛《なま》りでわかりますよ。いくら長く東京にいらしても、土地の者のカンでわかります。ぼくも山形の北の方でしてね、旦那の言葉を聞いていて察したのですが、そのアクセントは秋田の方ですな。どうです、違いますか？」

「そうだな、まあ、その辺のところだ」

関川は急にいやな顔をした。

第四章　未解決

1

国電蒲田操車場で発生した殺人事件は、所轄署《しょかつしょ》に捜査本部を置いてから、早くも一カ月経《た》った。

捜査は完全に行きづまっていた。本庁の捜査一課からの応援捜査員が八名と、地元署の捜査員十五名が、この捜査にかかりきったのだが、有力な手がかり一つつかむことができなかった。

捜査陣は厚い壁にぶっつかったまま、身動きができなくなった。

すでに、事件後、二十日を過ぎたころから、本部の士気は沈滞しはじめていた。あらゆる聞込みも地取りも、洗えるものは全部洗ってしまって、残るものは何もなくなっている。

このころ、警視庁管内には凶悪な犯罪が続いて起こっていた。その方の捜査が活発なだけに、蒲田の方はよけいに沈滞がました。毎朝、本部から外に出掛けていく捜査員の足取りも元気はなかった。

所轄署に設置された捜査本部は、事件が迷宮入りになると、だいたい、一カ月ぐらいで本部がかりを解くことになる。あとは任意捜査となるのだが、事実上は打切りといっていい。

——その日の夕方、所轄署の道場に置かれた捜査本部室には、二十四五名の捜査員が、一堂に顔をあわせた。本部長となっているのは、警視庁刑事部長だが、この日顔を見せたのは、副部長の捜査一課長と地元の警察署長とだった。

刑事たちは、元気のない顔ですわっていた。各自の前には、湯呑《ゆの》み茶碗《ぢゃわん》に酒がつがれていた。佃煮《つくだに》のような肴《さかな》が皿《さら》に分けられて、ところどころに置いてある。

刑事たちの間には談笑の声がなかった。事件が解決して、本部を解散するときは、これは楽しい打上げ式なのだが、このようにお宮入りになっては、まるでお通夜《つや》のように湿《しめ》っぽい。

「だいたい、全員が揃《そろ》いました」

主任警部が集まった人間の顔を見回して、捜査一課長に報告した。

捜査一課長は畳の上に立ちあがった。

「皆さん、長い間ご苦労さまでした」

一課長ははずまない声で言い出した。

「本件は、捜査本部を置いて早くも一カ月経ちました。その間、諸君のご苦労は並みたいていではなかった。不幸にして、ついに有力な筋をつかむことができずに、一応、本部を引きあげることになりました。まことに残念な結果となりました。しかしながら」

と、課長は列席者に視線を一巡させた。一同は首をうなだれて聞いている。

「本件の捜査は、これで終わったというわけではなく、今後も引き続いて任意捜査を続けるわけです。この事件を反省すると、最初現場の条件があまりに整いすぎていて、多少、それによりかかって、早期解決を期待しすぎたところがあります。被害者の身もとこそわからなかったが、あれほどの条件の揃った状態だから、まもなくこれも割り出せるだろうと安易に考えていたと思います。ところが、実際にやってみると、いっこうにそのことが解決できなかった。被害者と加害者らしい男を見たという目撃者も出てきたし、犯行に使用された凶器も発見された。事件は簡単に解決に向かうものと思っていたが、諸君の努力にかかわらずこのような結果になりました。それは、最初の捜査段階に少し安心してかかったというか、少々安易に考えていたという反省が現在の私に起こっています」

今西栄太郎は、捜査一課長の所感をうつむいて聞いていた。課長の話しぶりは、わざと皆の気持ちを引き立たせるように元気そうだった。しかし、内容の空虚感は覆《おお》うべくもない、やはり、敗北者の弁だった。

捜査本部が引きあげると、あとは任意捜査となる。しかし、これまで捜査本部を解散したのち、犯人が任意捜査であがった例はきわめて少ない。

近ごろは公開捜査が効果をあげている。だが、この場合は犯人が割れて、その顔写真を一般に掲示して協力を求める場合に限るのだ。今度の事件は犯人はおろか、被害者の身もとすらわからないのである。

捜査一課長が言うように、事件当初はかなり資料には恵まれていた。それによりかかって安易に考えたという課長の反省は、うなずけないことはなかった。実際、今西も事件のはじめは早期に解決するものと考えていた一人だ。

目撃者の言葉から「カメダ」という手がかりを得たとき、ほとんど、事件は解決するものと思ったくらいだ。ことに「カメダ」については、今西はほかの捜査員より責任を感じている。「カメダ」という地名を割り出したのは彼だし、そのため遠路秋田県まで出張してきた。しかも結局徒労だったのだ。

こうなると、今西は「カメダ」が地名ではなく、やはり、最初の見込みどおり、人の名前ではなかったかと思い直したいくらいだった。なるほど、秋田県岩城《いわき》町亀田まで行って、妙な男のことを聞いてはきたが、それが事件の筋と関係があるとは思えない。やはり、「カメダ」は人名が本当だったのではなかろうか。

しかし、今さらそこに戻《もど》っても詮《せん》ないことだった。失敗すると、いろいろな迷いが生じる——。

捜査一課長の話が終わり、地元警察署長の慰労の言葉があった。内容は捜査一課長と大同小異だった。

そのあと茶碗酒を飲みながら、刑事たちは雑談に移った。しかし、話ははずまない。これが事件解決の場合だと、一同が大きな声で笑いあうのだが、今日はそのこともなかった。みんなが黙りがちである。ただ、後味の悪さと疲労の色とが、皆の顔色に濃いだけだ。

活気のない宴はすぐに果てた。捜査一課長と署長とが早目に退席すると、みなもくずれるようにすぐに散会した。あとに居残って酒を飲む元気者もない。

今西栄太郎は一人で帰途についた。もう、捜査本部を置いたこの警察署に、毎日顔を出すこともないのだ。明日からは、また本庁の刑事部屋に戻るのである。

今西は蒲田駅の方にあるいた。街には灯がはいっている。夜にはいりかけた空には、澄んだ蒼《あお》い色が昏《く》れ残っていた。

「今西さん」

ふと、後ろから呼ぶ者があった。

ふりむくと吉村だった。彼は今西のあとを追ってきていた。

「やあ、君か」

今西は立ち止まった。

「今西さんとは、途中まで国電の方向がおんなじですから、ごいっしょしたいと思いましてね」

「そうだったな」

肩が並ぶと、二人はいっしょに駅の方に歩いた。

ホームも混んでいたし、乗っていた電車も混んでいた。

今西と吉村とは、並んで立つことができなかった。ちょうど、ラッシュアワーで、車内は身動きもできない。

それでも、吉村は、今西からあまり離れないところでつり皮にさがっていた。

窓から、流れて走る東京の街を見おろしていた。ネオンはきれいな色で輝き出したが、乾いた景色だ。

　吉村の降りる駅は代々木《よよぎ》だが、今西の方は遠かった。

「吉村君」

　今西は、渋谷駅が見えてから、大きな声で呼んだ。

「ここでおりよう」

　吉村から応《こた》えがあった。

　やはり混雑したホームにおろされて、群衆を分けながら階段の降り口まで来ると、吉村が追いついてきた。

「どうしたんです、急に？」

　彼は目をまるくしていた。

「いや、君ともっと話したくてね。その辺で一ぱいやろうと思って、急に思いついたんだ」

　今西は混み合う階段を降りながら言った。

「引きとめて悪いかな？」

「いや、ぼくは大丈夫ですよ」

　吉村は笑った。

「実は、ぼくも今西さんと、もう少し話したかったんです」

「そりゃありがたいな。なにしろ、このままでは家《うち》に帰れないよ。あんなお通夜みたいな酒を飲んで帰る気になれないからな。ちょっと、どこかで軽くビールでも飲み直そうか」

「結構ですな」

二人は、駅前の広場を渡って、小さな路地をはいった。

この辺はごみごみした飲み屋が多い。軒に吊《つ》った赤い提灯《ちょうちん》にも灯がはいっていた。

「この辺で君の知ったところがあるかい？」

今西はきいた。

「いや、べつに馴染《なじみ》はないんです」

「じゃ、出まかせに飛びこもう」

入口の狭いおでん屋にはいった。まだ宵《よい》の口なので、客はそれほどいなかった。

二人は、隅《すみ》の方の椅子《いす》にすわった。

「ビールをもらおうか」

煮込みの鍋《なべ》を突っついていた女将《おかみ》が、

「かしこまりました」

と、長い箸《はし》を持って頭を下げた。

ビールの泡《あわ》をふくコップを二人はかちりと合わせた。

「うまい」

今西は一息に半分飲んで言った。

「やっぱり君と会ってよかったな」

「ぼくもそう思います。なにしろ、これっきり今西さんと仕事の方ではお別れですからね」

「お世話になった」

「とんでもない。ぼくの方こそ」

「何か頼めよ」

「はあ。じゃあ、丸天の串刺《くしざ》しをもらいます」

「君もそれが好きかい？」

と、今西は微笑した。

「ぼくもそいつが好きでね」

今西はビールを飲んで、ふっと肩で溜息《ためいき》をついた。

その様子を、若い吉村がそっと見た。

よそでは、捜査の話は禁物だった。二人は、なるべくそれに触れないようにしたが、話はどうしてもそれにゆく。

だが、二人だけにわかるさりげない話や様子で、それは通じた。

「明日から本庁ですね？」

吉村はビールを喉《のど》に流してきいた。

「そうだ。君には世話になったが、また久しぶりに元の古巣だ」

今西は串の丸天を食い取って嚙《か》みながら言った。

「すぐに別な捜査にとりかかるんでしょうね？」

「そうなるだろうな。あとからあとから、われわれの仕事は絶えないね」

新しい仕事に次々と移ってゆく。解決するのもあれば未解決のもある。事件は絶えず彼らを待っているのだ。

「しかし、ほかのことをやっていても、やっぱりこういうものはいつまでも心に残るものだね」

今西はこの事件のことを言った。

「これで相当長い間働いてきたが、お宮入りになった事件も三つか四つある。古いには古い話だが、いつまでも頭の隅から離れないよ。何かにつけて、必ずそいつが顔を出す。ふしぎなものでね。解決したやつは、もう何も覚えていないが、未解決のものに限って、被害者の死顔をはっきりと覚えてるからね。やれやれ、ここでまた夢見の悪いやつが一つ増《ふ》えた」

「今西さん」

と、若い吉村が今西の腕をたたいた。

「その話は、もうよしましょうよ。今日は、仕事の上でごいっしょしたあなたとのお別れですから、さっぱりした気持ちで飲んで別れましょう」

「大きにそうだったな。すまなかった」

「しかし、今西さん、やっぱり、なんですね、都内をいっしょに歩いてるときよりも、遠くに行ったときの方が印象に残りますね」

「そりゃあそうだ。やはり地方に行ったときの方がいつまでも忘れられない」

「初めて東北を見たんですが、あのときの海の色はよかったですよ」

「よかった」

今西はその話題に微笑した。

「これで停年になって仕事から離れたら、のんびりと、もう一度遊びに行ってみたいところだね」

「いや、ぼくもそう思ってたところですよ」

「なにを言う。君はまだ若いじゃないか」

「いえ、そんな意味じゃないんです。ぼくは今西さんといっしょに歩いた、あの亀田というところを、今度は、何にも束縛されずに、のんきに一人で歩いてみたいんですよ」

若い吉村の顔は、その景色を目に浮かべるように、なつかしそうにしていた。

「そうだ、あのとき、今西さんの俳句を三つばかり聞かせてもらいましたな。あれからどうです？」

「うん、まあ、つくるにはつくったがね、十句ばかりだが……」

「ほう、そいつを教えてください」

「だめだめ」

と、今西は首を振った。

「まずい句を今ここで披露《ひろう》しては、せっかくのビールの味が抜ける。そいつは、またのことにしようよ。ところで、君、もう一本取って帰ろうか」

今西は最後のビールを一本取った。

このころになると店のなかも混雑してくる。客の話し声も高くなった。それだけ、こちらで話すのには都合がよくなった。

「今西さん」

吉村は上体をねじって、今西に寄せた。

「蒲田の一件ですがね」

「うむ」

今西は素早く左右を見た。だれもこちらに気をつける者はなかった。

「加害者のネグラが遠くないという今西さんの推定ですがね。あれはぼくも、やっぱり本筋だと思いますね」

「君もそう思うか？」

「そうだと思いますよ。加害者は、相当、返り血を浴びていると思います。だから、遠くには行けないと思いますね。やはり、現場から近いところだと思いますよ」

「そう思って、ずいぶん探したんだがな」

今西はぽそりと言った。

「犯人はそのままの格好では、タクシーにも乗れません」

吉村はまだ話した。

「目撃者の話によると、加害者はあんまり身なりがよくなかったといいます。事実、蒲田辺の場末のバーで、安ウィスキーを飲んでいたのだから、たいてい生活程度は知れています。自家用車を持つような人間ではありませんよ」

「そうだろうな」

「すると、犯人はタクシーにも乗れなかったとすると、歩いて帰ったことになります。犯行時刻から考えて、街は暗くなっているから、気づかれずに歩いていることはできます。だが、歩くとなると、やはり、行動範囲の距離が限られています」

「それはそうだな。夜明けまで歩いても、人間の脚だから知れている。せいぜい遠くて八キロか十キロぐらいだろうね」

「ぼくはね、今西さん。こういうふうに思うんですよ。そういう格好で自宅に帰る男といったら、あんがい、ひとり者じゃないかと思うんですよ」

「なるほどね」

今西は、吉村にビールを注《つ》いでやり、ついでに自分のコップにも満たした。

「それは新しい考え方だな」

「今西さんもそう思いますか？ 血まみれの格好で自宅に帰れば、家族は怪しみます。当然これにも気兼ねをしなければならない。そういう点で犯人はひとり者で、しかも、あんまり近所づきあいのない男。そして、労働者ふう。こういう線が浮かぶのですよ」

「おもしろいね」

「今西さんの意見だと、男の方には別に自宅があって、犯人がその夜逃げこんだのは、アジトだということでしたね？」

「ぼくの推定は、もう自信がなくなったよ」

「いや、いや、ご謙遜《けんそん》でしょう。しかし、今西さん。あなたの前ですが、もし、そういうアジトが考えられるとすると、それは、犯人の情婦か親しい友人の家ということになりますね。だが、犯人は、あまり裕福な男ではなかった。金を持たない人間です。だから、友人の点はともかくとして、その男に情婦がいたという考え方は、ちょっと、ぼくにはピンと来ないんですよ」

2

今西栄太郎は吉村と別れて、一人で帰途についた。

家は滝野川《たきのがわ》にあった。バス通りに面しているので、そのたびに家の中が震動する。女房《にょうぼう》は騒音に閉口して越したがっているが、適当な家がなかった。この家も住みついて十年近くなる。給料が安いので、高い家賃の家には越せない。

十年前からみると、この辺は見違えるように家が密集してきた。古い家が崩されて新しい大きな建物になったり、空地にアパートが建ったり、まるきり変貌《へんぼう》した。今西のところだけ陽当《ひあ》たりの悪い低地なので、一握りの区域が昔のままに残されている。

今西は酒屋の角から路地をはいった。途中に安アパートがある。このアパートのために三年来、今西の家には全然陽が当たらなくなった。

路地をはいりかけてふと見ると、引越しがあったらしく、運送屋のトラックがアパートの横にとまっていた。

大勢の子供がせまい道いっぱいに遊んでいる。

今西は建てつけが悪い格子戸《こうしど》をあけた。

「ただ今」

踵《かかと》のすり減った靴《くつ》を脱いだ。

「お帰んなさい。あら、今日はずいぶん、早いんですのね」

奥から妻が笑顔で玄関に出た。

今西は、黙って奥にはいった。奥といっても二間しかない。狭い庭に夜店で買った盆栽がならんでいる。

「おい」

今西は洋服を始末している妻に言った。

「明日から、もう、蒲田に行かなくていいんだよ。本庁に戻ることになった」

「おや、そうですか」

「これから、当分早い」

妻は今西の顔が赤いのにはじめて気がついたらしく、

「どこかで飲んでらしたのですか？」

ときいた。

「吉村君と渋谷で降りて、ビールを飲んできたよ」

「それは、ようござんした」

妻は夫の仕事のことには口を出さなかった。今西が話さないかぎり、女房の方から何も言わない習慣になっていた。

「坊主《ぼうず》は？」

「さっき実家《さと》の母が来て連れて行きましたの。明日はお休みですから、明日の夜までに連れてきますって」

「そうか」

女房の実家は本郷《ほんごう》だった。両親とも健在で、あまり父親にかまってもらえない孫をふびんがっては遊ばせに連れ出してゆく。

兵児帯《へこおび》を締めながら、濡縁《ぬれえん》に腰掛けた。外では近所の子供たちが騒ぐ声が聞こえる。

「おい」

今西は、ふと思い出したように、妻にきいた。

「そこのアパートに引越しがあったのか」

「ええ、ごらんになったのですか?」

「運送屋が来ていた」

女房は今西の横に来た。

「そうそう、それでこの近所で聞いたんですがね、今度あのアパートに越してきた人は女優さんですって」

「へえ、変わった者が来たな?」

「そうなんです。だれが聞いてきたか知りませんが、そのことで、もうこの辺の噂《うわさ》になっています」

「あのアパートに越すくらいだったら、ロクな女優じゃあるまい」

今西は片手で自分の肩を叩《たた》いた。

「映画女優じゃないんですって。新劇の女優さんだそうです。だから、あんまり、みいりがないんでしょう」

「新劇は貧乏だからな」

今西もそれくらいな知識は持っていた。

食事が終わったあと、今西栄太郎は、ふと思い出したように妻に言った。

「今日は何日だったな?」

「六月十四日です」

「やっぱり十四日か」

「何ですか?」

「四の日だな。今日は巣鴨《すがも》のトゲヌキ地蔵の縁日だ。久しぶりに行ってみるか」

「そうですね」

事件以来、今西栄太郎は家に早く帰ったことがない。妻は、すぐによそ行きの支度にとりかかった。

「夜店でまた盆栽をお買いになるんでしょ?」

いそいそと支度を終わって、妻はきいた。

「さあ、どうするかわからない」

「もう庭に置く所がありませんわ。なるべく買わないでくださいよ」

「うん、そうする」

今西は、実は気に入ったものがあったら買うつもりだった。今日から当分事件のことは忘れたい。

都電を巣鴨で降りて、駅前の広い道を渡り、狭い商店街にはいった。四の日がこの地蔵の縁日だった。

狭い通りの入口には、もう夜店の屋台が並んでいる。遅い時刻なので、人は帰りかける者が多かったが、それでもまだ混雑していた。

金魚すくい、綿菓子、袋物、奇術道具、薬売りなどの店が、裸電球の眩《まぶ》しい光に浮き出されて、人を集めていた。

今西夫婦は、細長い道を歩いて地蔵堂に詣《まい》った。それから今度は、ゆっくり夜店をひやかしに回った。

今西は夜店のアセチレンガスの臭《にお》いが好きである。しかし、近ごろは、夜店も電灯が多く、アセチレンを使うのが少なくなった。

田舎にいたころ、秋祭のとき、こういう店が出る。そのころのなつかしい思い出が、この鼻を刺激するガスの臭いの中にこもっている。

きれいな財布を並べた店や、地面にムシロを敷いた八つ目うなぎ売り、白い上衣《うわぎ》を着た薬売りなどの風景を見ていると、子供のころの心にかえる。

今西は、ゆっくりと歩いた。ときどき立ち止まっては人垣《ひとがき》の間から店をのぞく。夜店の素見《ひやかし》は格別な気分である。

妻は、あまりそれに興味がないとみえて、そのつど道に立ち止まって、今西が人垣から離れるのを待ったりした。

植木屋の店も三四並んでいた。さまざまな鉢《はち》が電球に光っている。今西は、その前に立ちどまった。妻が袖《そで》を引いたが、盆栽好きの彼は素通りできなかった。それから鉢の並べてある前にしゃがんだ。

おもしろい木がいろいろと並んでいる。その中に欲しいものが二つ三つはあったが、妻との約束があるので、一つだけ買った。鉢植でなく、土の付いた根をそのまま新聞紙に丸く包ませた。片手でさげると、離れて立っていた女房が諦《あきら》めたように笑った。

「もう庭はいっぱいですよ」

道々、妻は言った。

「どこか、もっと広い庭のある家に越さないと、並べきれませんよ」

「まあ、そう文句を言うな」

人びとの歩いているあとについて、元の巣鴨の駅の大通りに戻った。

わずか一時間ぐらいだったが、結構、たのしかった。

このとき、大通りに人だかりがしていた。

巣鴨の駅前は都電の通りだが、その電車道の傍《そば》に大勢の人が集まって、何かを見ている。

交通事故だと一目でわかった。乗用車が歩道に乗り上げている。その後部はつぶれていた。一台のタクシーは五六間後ろにとまっていた。

巡査が五六人立って調べている。

街灯の光の中で、その光景が陰惨な感じで映し出されていた。巡査は、懐中電灯で地面を照らしていた。一人が道ばたに白いチョークで円を幾つも描いている。

「またやったな」

今西は、それを見て思わず言った。

「まあ、危ないわ」

妻も顔をしかめて見ていた。夫婦は、しばらくそこに立ち止まった。

「事故を起こしてから間がないらしいな」

今西は、歩道の上に半分乗り上げている車の中をのぞいた。それは自家用車だった。中には人影がなかった。

――次に向こうのタクシーを見ると、これにも客も運転手もいなかった。

「みんな、病院に運ばれたらしいな」

今西は、見てつぶやいた。

「この調子なら、相当な負傷だろう」

「乗ってた人が死んでいなければいいですがね」

妻は眉《まゆ》をしかめていた。

今西は手の植木を妻に渡した。立っている巡査に顔見知りを見つけた。

今西は、巡査たちの前に行った。

「やあ、どうもご苦労さん」

巡査も、彼の方を見て、今西だとわかると、頭を下げた。

今西は、以前、巣鴨署に捜査本部が置かれたときに本部詰めになったことがある。

それで、署員の中に顔なじみができていた。

「大変ですね」

「ひどいもんです」

手帳を出して要領をつけていた交通係の巡査が、事故車を指さした。

「メチャクチャですよ」

「どうしたんですか?」

「スピードを出していたんですね。それに、後ろのタクシーがわき見をしていたらしいんです。前の自家用車がとまるのも気づかずに、そのままのスピードで突き当たったからたまりませんよ」

「で、負傷者はどうしました?」

「タクシーの運転手と乗客とは、すぐに病院に運びました。ところが、追突された自家用車の方は擦過傷《かすりきず》程度です」

「で、タクシーの怪我《けが》の程度は?」

「運転手は前のガラスに首を突っこんで、顔に大怪我しています」

「客は?」

「タクシーの客は、二十五六歳ぐらいの人ですがね。これも追突した瞬間、したたか前の座席にのめって胸を打っています。一時、意識を失ってたようですが、病院に着いたときに回復したそうです」

「そりゃあよかった」

死亡しなかったと聞いて、今西はほっとした。

「お客さんは、どういう人でしたか？」

「なんでも音楽家だと聞きましたがね」

巡査は答えた。


朝、今西栄太郎は、目をさました。

捜査本部詰めになって仕事と取り組んでいる時には、夜明けに飛び出すこともあるし、夜中でなければ帰れないこともある。しかし、平常は、そんな無理をしなくてもいい。ゆっくり、定刻に本庁に行けばよかった。

一つの仕事から解放されるということは、たとえ当座あと味の悪い場合でも、ありがたいことだった。時計を見ると、七時だった。八時に起きても十分間に合う。

「新聞を見せてくれ」

今西は寝床から、音の聞こえている台所に声をかけた。

妻が手を拭《ふ》きながら、新聞を持ってきた。

今西は仰向いたまま、新聞をひろげた。

第一面は、政界の動きが賑《にぎ》やかに出ていた。見出しも派手である。紙面は活気を帯びている。

まだどこかに快い眠気の残っている状態の中で、今西は新聞を繰《く》った。かざすように、両手に持ったままである。

ある主題で、各界の意見が編集されていた。小さい顔写真が、それぞれの談話記事の上にのっている。何気なく見ているうちに、今西は、おやと思った。最後のところに「関川重雄」という名前がある。

関川の意見は、今西にはどちらでもいい。興味をひいたのは、円形の中にはいった彼の顔写真だ。

ほかの十二三氏の顔は、いずれも年輩者ばかりだったが、関川重雄の顔は、とびぬけて若い。

今西は、秋田県の羽後《うご》亀田《かめだ》駅で見た彼の姿を思い出した。もっとも、この写真のとおりであったかどうかは記憶がはっきりしない。こんな顔だったような気がする。

いっしょに同行した吉村が関川のことを「ヌーボー・グループ」の一人だ、と言っていたが、なるほど、この若さで、こうして名士の中にはいっているところを見ると、相当な注目を世間から浴びている男に違いない。

まだ三十にもならない若さなのに、感心なことだ、と改めて思った。

今西は、次の紙面をあけたが、スポーツ欄だったので関心がなかった。このごろ、若い刑事がスポーツ紙にばかり熱中していることが、彼には解《げ》せない。それほど野球がおもしろいのか、と思う。実際、電車に乗って、人の読んでいるスポーツ紙を見ると、まるで戦争中のように、ゲームの経過が大見出しで報じられている。形容詞も戦争用語で最大級なのである。

今西は興味がないので、すぐに社会面を開いた。すると、彼の目に三段抜きの見出しがはいった。

「作曲家和賀英良氏　交通事故で負傷　昨夜タクシー追突の奇禍」

人物写真があった。若い顔である。あっと思ったのは、この男が羽後亀田駅で見た一人なのだ。

今西は、記事の内容をいそいで読んだ。それが、昨夜夜店の帰りに見た巣鴨駅前の追突事故の記事だった。

今西は、また若い顔写真をながめて、妙な因縁を感じた。

今西は女房を呼んだ。

「おい、これを見ろよ」

新聞記事を見せた。

「昨夜《ゆうべ》のことが出ているよ」

「あら、そうですか」

妻も実際に事故の跡を目撃したことなので、興味ありそうにのぞいた。

「やっぱり死亡者はなかったのですね」

「そうらしい。この人も病院に担《かつ》ぎこまれたが、たいした負傷ではなかったらしい」

「ようござんした」

妻は新聞を取って、ざっと記事を走り読みした。

「死亡者はなかったが、乗ってる人が有名な人だから、こんなに大きく出たんですね」

「おまえ、知ってるのか？」

今西は腹ばいになって煙草《たばこ》をすった。

「ええ、名前だけはね。わたしが読んでいる婦人雑誌にも、ときどき写真が出ますわ」

「へええ」

今西は、自分のうかつさを知った。近ごろ雑誌を読まないので、とんとその方面には疎《うと》い。東北に行ったときも、同行の吉村からいろいろと教えられたことである。

「この方、女流彫刻家と婚約してるんですのよ」

妻は興味ありそうに顔写真をまだ眺《なが》めていた。

「そんなことも雑誌にのってるのか？」

「ええ。いつか、グラビアで、その二人が並んでいるところが出ていたわ。その彫刻家の女《ひと》もきれいな方でしたわ。お父さんが元大臣をなすった人です」

「そうだってね」

今西は憮然《ぶぜん》としてこたえた。自分だけが時代感覚から取り残されたような気がする。

「それはそうと、この人には、ぼくは会ってるんだよ」

今西は妻に告げた。そのことで自分の遅れを取り戻した気持ちになった。

「あら、そうですか。やっぱり事件のことですか？」

妻は意外そうに目を丸くしていた。

「いや、そうじゃない。ほら、この間、秋田県に行っただろう。駅に行ったとき、ちょうど、この人も来ていた。もっとも、ぼくは知らなかったがね。吉村君が教えてくれたんだ」

「あら、そうですか。どうして、そんな所に行ったんでしょう？」

「ぼくたちが行ったのは、岩城という町だがね。その近くにT大のロケット研究所がある。その見学の帰りだったそうだ。土地の新聞記者が来ていてね、連中にまつわっていた」

今西は話した。

「この人も、その中にいたよ」

今西は新聞を繰って、関川重雄の写真を見せた。

「やっぱり若いがたいしたもんだね。地方に行っても、あれだけの人気がある」

「そりゃあそうですわ。今、この人たちは若いグループを結成して売り出し中なんです。雑誌にもこの人たちの名前がよくのっていますわ」

「そうだってね」

今西は、残りの煙草をすいつづけた。妻は食事の支度のために離れていった。

腕時計を見た。もうそろそろ起きなければいけない。今西は枕《まくら》に後頭部をつけたま

ま、何となくその若いグループのことが頭にしみこんだ。

3

和賀英良は、K病院の特別室に入院していた。

枕もとには、花束がいっぱい置いてある。果物籠《くだものかご》や菓子なども積まれていた。病室

にはいった瞬間、その色の花やかさで目を奪われるくらいだった。

テレビもあるし、贅沢《ぜいたく》な設備だった。これで患者ベッドがなければ、高級アパートの一室と錯覚しそうだった。

和賀英良は、ベッドにパジャマ姿で腰掛けていた。その前で、新聞記者が談話を取っている。横からカメラマンが和賀の顔をいろいろな角度で撮《と》っていた。

「当分、お仕事の方は、おできにならないわけですね？」

新聞記者が質問した。

「ここにはいったのが、ちょうど、いい休養です。しばらく寝て暮らすつもりです」

「胸部を打たれたそうですが、痛みませんか？」

「そう、まだ鈍痛は取れないが、たいしたことはないんです」

和賀英良は微笑《ほほえ》みながら答えた。顔色が少し蒼白《あおじろ》くなっていた。

「そりゃ結構ですな」

と、新聞記者は言った。

「すると、その休養の間に、次の仕事をいろいろと考えられてるわけですね」

「いや、深刻には考えていませんよ。せめてこういう時に、解放された気持ちでいたいですね」

「しかし、和賀さんの芸術は直感的だし、抽象派ですからね、こう寝ころんでいらっしゃる時に、何かすてきなイメージが浮かぶんじゃないですか？」

「そう」

和賀英良は、遠くを見る目つきで目を細めた。端正な輪郭の顔だった。

「そういうことはないとは言えませんね。夜なんか、ここでぼくひとりでしょう。寝ころがっていろんなことを考えていると、ふいと、アイデアが出ないこともないんです」

「もし、それで次のお仕事ができたら、交通事故の入院もまんざらではないというところですね？」

「そうなんです。だが、そう巧《うま》くいくかどうかですね」

和賀はおとなしく笑った。新聞記者は、枕もとを飾っている花束に目をやった。

「ほう、ずいぶん方々からきれいなのが来ていますね」

「ええ、まあ」

和賀の顔つきは、まんざらでもなさそうだった。

「やはり音楽関係のかたからでしょうね。だいぶん、女性も多いようですね」

「なんとなくファンの人が持ってきてくれたんです」

「ところで、今日は」

と、新聞記者はわざとあたりを見まわすようにしてきいた。

「田所佐知子さんはいらっしゃらないんですか？」

記者の目は興味的だった。和賀のフィアンセのことを言って冷やかしたつもりだが、相手は動じない。

「さっき電話がありましてね、まもなくここに来るでしょう」

「わあ、それはいけない。早々に退散しましょう。ところで、和賀さん、最後に、この花束を前景にして一枚撮らせていただきたいんですがね」

「いいですよ。どうぞ」

カメラマンが窮屈な動作で花束の間に埋まり、カメラを構えた。

新聞記者と入れ違いにドアはノックされた。はいってきたのは、ベレー帽をかぶった背の高い男だった。

「よう」

片手に持った花束を頭の高さまで振った。

「どうした？」

画家の片沢睦郎だった。いつも黒いシャツを着ているのが、この男の習性だった。

「えらい災難だったな」

片沢は、ベッドの横の椅子に腰をおろすと長い脚を組んだ。

「ありがとう、わざわざ来てくれたんだね」

和賀英良は友人に礼を言った。

「新聞を見たときはおどろいたよ。どうかと思ったが、その格好を見て安心した。さすがに贅沢な部屋にはいっているな」

若い画家は部屋の豪華さを見まわした。

「まるで病院の感じはしないね。おい、ずいぶん、高いんだろう?」

彼は、首を和賀の方に伸ばした。

「いや、そうでもない。もっとも正確にはいくらか知らないがね」

「なるほど」

若い画家は横手を打って叫んだ。

「君のペイではなかったね。佐知子さんの親父《おやじ》さんの出資だろう?」

にやりと笑った。

「そうでもないさ」

和賀は眉の間にうすい皺《しわ》を立てた。

「ぼくも意地があるからな、全部、負担させてはいないよ」

「まあ、いいよ。金持ちからは出させるがいい」

片沢はそう言って、パイプに煙草をつめて、

「すってもいいかい？」

と断わった。

「かまわないよ。病気ではないから」

「しかし、君は幸福者だよ。許婚者《フィアンセ》の父親がブルジョワなんだからな。いや、おれは皮肉って言っているのではない。君の芸術を認めた佐知子さんが羨《うらやま》しいんだ」

片沢はそこまで言って、ちょっと首を傾けた。

「もっとも佐知子さんのは君の芸術ばかりではないだろうね。アルファの方が多いかもしれない」

「おい」

「いや、本当だ。それは田所佐知子という新進女流彫刻家の人格として、作曲家和賀英良を認めたということはわかるよ。だが、それだけではない。やっぱり、君の人間的な魅力が大いにものをいったと思うな」

「なに、ぼくはブルジョワなんか当てにしていないよ。彼らはいつどうなるかわから

ないからね。なにしろ、現代資本主義は没落過程をいそぎつつある。そんなものを当てにして、おれたち若い芸術家が前進できると思うかい？」

「その意気はいいよ。だが、おれはときどき弱気になるよ。そりゃあ、おれの絵は、批評家にいろいろ言われていることは確かだよ。だがね、金のない批評家が、買いかぶってくれても、絵は一枚も売れないんだ。おれは、ピカソは認めないがね。あいつの絵が、莫大《ばくだい》な金になることだけは羨しいよ。早く、おれも、あんなふうになりたいよ」

「君らしいことを言う」

和賀英良は苦笑した。

「ところで、みんなどうしている？」

今度は、和賀英良がきいた。

「うん、あれ以来会わないがね。みんなそれぞれ一生懸命にやってるらしい。会えば、何食わぬ顔をしているがね。そうだ、武辺がフランスに行くという話、聞いたかい？」

片沢睦郎は、仲間の若い劇作家の話をした。

「へえ、あいつがね」

和賀がおどろいた目をした。

「この間、決まったそうだ。フランスからずっと北の方をまわるらしいな。奴《やつ》のいつもの持論だよ。北欧の劇をもっと再認識する必要がある、というやつさ。彼は、もう一度、ストリンドベルヒやイプセンを見つめてみたい、と言ってるだろう。そこから未来の演劇を再構成しようというんだ。現代はあまりに近代劇の意味を忘れすぎている。奴の持論だが、その近代劇の自然主義を抽象観念に置き替えたら、また日本の新しい演劇の方向が出る、というんだ。そういう意味で、いよいよ奴の念願が叶《かな》ったわけだ」

「君だってそうじゃないか」

と、和賀英良は話を聞いてやり返した。

「北欧の画家にあこがれているのは君じゃなかったか。現代の抽象ばやりをもっと北欧のリアリズムに引き返して、そこからまた新しい理念の追求をはじめる。そして、それを止揚させる。なんとかいう画家だったな。そうだ、ファンダイクやブリューゲルが君の対象だったな？」

「ぼくなんか、どうじたばた騒いでも、外国へなんか行けやしない。そこへいくと、君はいい」

「待ってくれ」

和賀英良は友人の画家に手を振った。

「そういちいち田所のことを打ち出すなよ。実は、まだ決まっていないから、だれにも黙っているがね。ぼくはこの秋、アメリカに行くかもわからないよ。この間から交渉がある。おれの新しい音楽に目をつけた向こうの音楽批評家が、ぜひ、アメリカに来て演奏してくれ、と言うんだ」

「へえ」

画家は目を丸くした。

「それは本当か？」

「いま言ったとおり、まだ具体化してないから、だれにも言ってない。こんなことがもれると、マスコミはすぐ突っ走るからな」

「幸運な奴だ」

画家は、患者の肩を叩《たた》いた。

「そのアメリカ行きは、君の田所佐知子も、同行するのかい？」

「何ともわからないね。いま言ったとおり、まだ具体化してないんだから」

「そう慎重に用心ぶるなよ。君ほどの男が口に出すのだから、ほとんど具体的だろう。

いいなア。それがたぶん君のハネムーンになるのかもしれないな。しかし、ぼくは思うな、武辺にしても、君にしても、そうしてどんどん外国に行って、自己の芸術の新しい発展の摂取をする。大いにやってもらいたい。ぼくらの〝ヌーボー・グループ〟が念願する日本の芸術革命が近いという感じだね」

「そううれしがるなよ」

和賀英良は止めた。

「ここだけの話だがね」

と、彼は声をひそめた。

「おれのアメリカ行きなどを関川あたりが聞いたら、またなんと思うかしれないよ。おい、関川の奴はどうしている？」

「関川か」

と、片沢睦郎は言った。

「関川もなかなかやっているよ。今度、二つの大新聞に文章を書いていたがね」

「ああ、あれは読んだ」

和賀英良は感動のない声で言った。

「関川らしい言い方だな」

「ここんところ、ちょいとした関川ブームだな。方々の雑誌にも長い論文を書いているし、すっかりマスコミに乗ったかたちだ」

「だから、だれかに悪口を言われるんだ」

と、和賀英良は吐き出すように言った。

「ぼくら、マスコミというものを認めないだろう。軽蔑《けいべつ》しているんだよ。ところが、関川ぐらいマスコミを利用している奴はいない。あいつ、自分ではマスコミを軽蔑する口吻《こうふん》をしじゅう洩《も》らすくせに、本人ほどマスコミを利用している者はいない。おれたちのグループが悪口を言われるのも、関川があんなふうだからだよ」

若い画家は和賀の表情から何かを読み取ったらしく、もっともらしくうなずいた。

「そうだ、あいつ、少し思い上がりのところがある。近ごろの政治発言みたいなのも少々いい気になっているね」

「そうだ、この間の宣言でも、奴が一人で代表みたいな顔をして、みんなの署名をまとめてどこかに持っていったんだろう。あれなんかも奴一流のジェスチャーさ。あれも、自分の名をマスコミにのせてもらいたいという、奴の下心が見えすいている」

「君と同じ意見を言った者がほかにいるよ」

画家の片沢睦郎は同調して言った。

「あの会議では、奴のやっていることが不愉快になって途中で退席した者もいるよ」

「そうだろうな」

と、和賀英良はうなずいた。

「何となく、奴がヌーボー・グループの代表みたいな顔をしている」

和賀英良は、ここで、はっきりと不快な顔を見せた。

それに友だちの画家が何か答えようとしたとき、ノックが聞こえた。

ドアが外からゆっくりとあいた。

若い女の顔が覗《のぞ》いた。

「あら、お客さま？」

胸に抱えた花束の先が彼女の頬《ほお》に当たって揺らいでいた。

「かまいません、どうぞ」

和賀が目を輝かし、ベッドから立って、新しい客に声をかけた。

「失礼します」

初夏らしい明るいピンクのスーツだった。ふっくらとしたえくぼの寄る丸顔である。

これが和賀のフィアンセで、新進の女流彫刻家、田所佐知子だった。

片沢睦郎があわてて椅子《いす》をずらして立ちあがり、

「お邪魔しています」

と、外国流に彼女に丁寧におじぎをした。

「ようこそ」

と、田所佐知子は画家に笑った。きれいにそろった歯だった。

「お見舞いに来てくださったのね。どうもありがとう」

彼女は許婚者《フィアンセ》に代わって礼を言った。

「和賀の負傷が軽くてなによりでした。安心しました」

片沢が愛想を言うのを、

「こいつ、見舞いの来方《きかた》が遅いので、そう丁寧にお礼を言う必要はありません」

と、和賀が横から言った。

「まあ」

田所佐知子は目もとを笑わせて、胸に抱えた花束を和賀英良に渡した。

「ほう、きれいですね」

和賀は自分の鼻に花弁《はなびら》をつけた。

「いい匂《にお》いだ。どうもありがとう」

和賀がそれを枕もとに置こうとしたのを、片沢睦郎が横からすすんで受け取った。

その花束をかざろうとしたが、あいにくとほかの花がいっぱいなので、彼はほかの花を手ではねのけ、佐知子の花束をまん中に据《す》えた。

「まあ、きれいな花だわ」

自分の持ってきた花のことではなく、無情に片づけられた花束に、彼女は目を落として言った。

「どなたからかしら？」

和賀が皮肉な笑いを浮かべた。

「なに、村上順子からですよ。さっき、ここに押しかけてきましてね。無理に置いていったんです。あの女、ぼくに何か作曲してくれと言ってこの間からしつこく言っていましたから、たぶん、その含みで来たのでしょう。善良なひとですね。あの畑の歌手のために、ぼくが仕事をすると思っているんでしょうね」

佐知子は、笑いを耐《こら》えるような表情をした。

「それは、村上順子だけじゃないよ」

片沢睦郎がすかさず言った。

「わけのわからない連中が、ぼくたちを利用しようとしているからな。度《ど》しがたい通俗芸術家がうようよしているよ。人を利用することしか考えていないのだ」

「そうかしらね」

佐知子はつつましげに首をかしげた。

「そうですとも。自分の名声を売るためには、人の利用ばかりを考えているんです。あなたなんかも気をつけた方がいいですよ」

と、これは佐知子に言った。

「あら、わたしなんか利用される価値がありませんわ」

「とんでもない」

片沢睦郎は大げさに手を振った。

「田所さんなんかはお気をつけにならないと、今にエラい目に会いますよ。何しろ、お父さまは特別な方だし、あなたの芸術も新しいし……」

「つまり、毛ナミのヨサというところね、おっしゃりたいのは……」

田所佐知子は、顔をしかめたのち、聡明《そうめい》な微笑を見せた。片沢睦郎はあわてた。

「いや、決してそんな意味ではありません。あなたには、むろん、そんな意識はないのです。世間は何も知りませんから、必ずしも真実を受け取らないのです。こわいのはそれですよ。ぼくなんかは、あなたをよく存じあげているから、背景とかなんとかいうのは全然感じませんがね」

「わたしも前にはずいぶんそれで悩みましたわ。わたしという芸術家がそういう光背《こうはい》を何か背負っているような気がして、とても辛《つら》かったんです。でも今はそうじゃありませんわ。和賀さんが、ひどく父のことを軽蔑なさるんです。でも、和賀さんが父を軽蔑してくださったんで、わたし助かりましたわ。何だか自分自身、目がさめたようになったんです」

「ごもっともです」

新鋭画家は両手を広げんばかりにして同感した。

「和賀君の意見は正しい。ぼくらはいつも既成観念を打破するんです。そういう意味で、絶対に現代の秩序も制度も認めていません」

急に、片沢睦郎は強い口調になった。このとき、ノックが聞こえた。

看護婦に導かれて、一人の紳士がはいってきた。

名刺は看護婦が取り次いだ。この看護婦は、この病室の世話をほとんど受け持っていた。

名刺は雑誌社の者だった。

「どうも、このたびは大変なご災難で」

と、頭の薄い編集者は丁寧な挨拶《あいさつ》を述べた。見舞いの果物籠を持参していた。

「いや、どうもありがとう」

和賀英良は客と向かいあった。

片沢睦郎は、片側に退《の》いている。佐知子は、患者の和賀が新しい客と向かいあって椅子にすわるのを手伝っていた。

「ところで、先生がご奇禍にあわれる前にお約束しました、例のことでございますが、談話で結構でございます。ほんの十分か二十分、お聞かせ願いとうございます。なにしろ、ご病中を押しかけまして恐縮ですが、締切りも迫りましたことで、やむを得ずお伺いしたようなしだいです」

「そうですか」

約束だというので、和賀英良はしぶしぶ相手の言うことに答えた。話の内容は「新しい芸術について」という主題らしい。編集者は、いちいちメモして、そのつど相槌《あいづち》を打ったり、うなずいたりしていたが、最後に、和賀におじぎをした。

「どうもありがとうございました。ところで、私どものこの欄の例として、先生方の簡単な略歴をお願いしているのです。先生にもひとつ、それを教えていただきとうございます。なに、簡単で結構でございます。文章の終わりに小さな活字でつけ加えますので」

「ああ、そう」

和賀はうなずいた。

「では簡単に言いますよ」

「はあ、どうぞ」

「本籍、大阪市浪速《なにわ》区恵比須《えびす》町二ノ一二〇、現住所、東京都大田区田園調布《でんえんちょうふ》六ノ八六七。昭和八年十月二日に生まる。京都府立××高等学校卒、上京後、芸大烏丸《からすまる》孝篤《たかしげ》教授の指導を受く……。こんなものでいいですか？」

「はい、結構でございます。ところで、つかぬことを伺いますが、先生と京都の高等学校とは、どういうご関係で？」

「いや」

和賀は少し笑って答えた。

「実は、高等学校に進むころに病気をしましてね、父の商売の関係で京都に知合いがあり、しばらく、そこで静養しておりました。そのまま、何となく京都にしばらく残ることになり、学校も京都にはいったようなわけですよ」

「ああ、なるほど、そういう関係でございますか。いやよくわかりました」

編集者は大きく合点をした。

片沢睦郎は、椅子に腰を掛けて本を読んでいたが、その問答が耳にはいると、ふと、こちらに顔を上げた。

「どうもありがとうございました」

編集者は、和賀にも、田所佐知子にも礼を述べて立ちあがった。ことに佐知子への態度はうやうやしかった。

「ぼくも、これで失敬するよ」

画家の片沢睦郎は、ふらりと立ちあがった。

「あら、まだよろしいんじゃございません？」

田所佐知子が言った。

「いや、約束があるんです。ちょうど、時間になりましたのでね」

「そういう奴だ。ここにはデートの時間つぶしに来てやがる」

和賀英良がベッドのはしに腰を掛けて言った。

「あら、そうなの、片沢さん？」

佐知子が明るい声になって画家に微笑《わら》った。

「いや、そんなんじゃないんです。絵描き仲間の会合があるんですよ」

「お隠しにならなくても結構よ。その方がわたしたちもうれしいんですわ」

「違います。違います」

若い画家は手を振って戸口に行った。

「じゃあ、和賀、大事にしろよ」

と、患者を振り返った。

「失敬」

和賀も手をあげた。

佐知子が片沢を廊下まで見送った。まもなく引き返してくると、彼女はドアを堅くしめた。

二人は、別な目になっていた。何秒か見合っていたが佐知子が和賀のところに急いできた。

和賀英良は、佐知子を腕の中に受け入れた。佐知子の顔の上を、和賀の唇《くちびる》が押さえつけたが、それには、そのまま長い時間をかけた。唇を放すと、佐知子は、ハンドバッグからハンカチを出し、男の唇を拭《ふ》いてやった。女は満足のために溜息《ためいき》をついた。

「今日、お客さまは多かったんですの？」

佐知子は、うっとりとした目できいた。

「そう、いろいろと来たね。片沢が来る前に、新聞社から来て話を聞いていった。そのあと、片沢と、君と、雑誌社だ」

「あら、わたしは別よ」

佐知子は抗議した。

「わたしは、その中にはいらないわ。毎日、定期的に来るんですもの」

「ああ、そうか。とにかく、ここにいても、ゆっくりと休まれない」

「少しお断わりになった方がいいのよ。病気ですもの、何とでも言えるわ。つまらない人と会って神経をいらいらさせるよりも、じっと寝てらして、お仕事のことを考えた方がよっぽどいいわ」

「そりゃあそうです。どうも気が弱くていけない。これで、忙しくなったら困るだろうな」

「あら、その時は、わたしがマネージしますわ」

「よろしく頼みます」

「あなたったら、鈍重なところと、都会的なところと、同居しているのね。そこが何となくチグハグになって、特別な性格になっているのね」

「鈍重ですか？」

「ええ、そんなところがあってよ。そのくせ、都会的なセンスが行きわたっているんです」

「つまり複雑なんですね」

「そうなんです。でも、それが和賀さんの魅力なんですもの」

「それはありがたい、どうなることかと思っていたが」

二人は声を合わせて笑った。

この時、卓上の電話が鳴った。佐知子が出ようとすると、
和賀英良がいちはやく送受器を手に取った。

「いいです。ぼくが聞く」

「はあ、和賀です」

作曲家は、電話に応《こた》えていた。

「はあ、はあ、ちょっと」

和賀の声を、田所佐知子は目をほかに向けて聞いていた。壁には、花を描いた油絵がかかっている。

「そうですね、ぼくはこういう状態ですから」

と、和賀英良は電話に話していた。

「最初の予定の期日には、間に合いそうにないが、公演までには、必ず間に合うよう

にしますよ。そちらで予定にしていただいて結構です。そこにだれかいるのでしたら、すぐに相談して、あとで電話してください。わかりましたね。では、さようなら」

和賀英良は送受器を置いて佐知子の方に顔をむけた。

「お仕事の電話？」

田所佐知子は微笑《ほほえ》んでいた。

「そうなんです。前衛劇団から作曲を頼まれましてね。その芝居に音楽を付けようという趣向です。これも怪我《けが》をする前から引き受けたので、断わるわけにはいきません。その催促です。なにしろ、間に武辺がはいっているんでね、義理に引き受けたんですよ」

「それで、構想はおできになって？」

「いや、ぼんやりと頭にあったんですが、それからちっとも進まないんです。困ったものです」

「武辺さんなら、お断わりできるんでしょ？」

「いや、逆ですよ。友だちから頼まれたのではかえって断われません」

「そう。でも、劇団の作曲っていうと、観客を意識して、相当妥協なさるんでしょ？」

「そうですね。武辺は、うんと思いきったことをしてくれ、と言ってますが、そうもいかないでしょう。それに劇団は貧乏ですからね、ギャラも奉仕ですよ」

「そんなことは、なるべくお断わりになった方がよろしいと思いますわ。いま、アメリカ行きのお話のある時ですから、余分な仕事はなるべく断わって、そっちの方にエネルギーを集中した方がいいと思いますわ」

「おっしゃるとおりです。ぼくの作曲がアメリカに買われ、アメリカで演奏される。これはチャンスだと思います。だから、これには全力を集中したいんです。これからはもう、音楽もヨーロッパ中心ではなくなりますよ」

「そうお考えになったら、なおさらですわ。そっちの方に、あなたの才能を振り向けてください。それで、アメリカの方のことは、都合よくいってますの?」

「ええ、この間も連絡がありましてね、だいたい、話は進行しています」

「結構だわ。わたし、父にそれを話したんです。とても喜んでいましたわ。そして、渡米の費用も出してあげていいと言ってました」

和賀英良は目を輝かせた。

「そうですか。そりゃありがたいな。お父さまに、その節はよろしく、とおっしゃってください。しかし、ぼくの作曲も、アメリカでは相当高く買ってくれると思うんです」


「だいたい、いつごろになりますの？」

「そうですね、十一月ごろには向こうに発《た》てるようにしたいと思いますね」

4

片沢睦郎はK病院を出て駐車場のところに来ると、向こうからタクシーが病院の門の中にはいりこむところだったが、急に、片沢睦郎の歩いている横で停車した。

片沢睦郎がおどろいて目を上げると、タクシーの中から劇作家の武辺豊一郎が、窓から手を振っていた。

「やあ」

片沢睦郎も手をあげて笑った。武辺の横には別の男がすわっている。

「君も和賀のところからの帰りかい？」

武辺は窓から首を出してきいた。

「ああ、君は今からか？」

片沢はタクシーに近づいた。

「そうだ、これから見舞いに行ってやろうと思ってる」

片沢は首を振った。

「よせ、よせ」

「なぜだい？」

「今、田所佐知子が来ている。ちょうど、おれが話しこんでいるときにやってきたから、かわいそうなので、おれが消えてやったところだ。行くのだったら、もう少しあとで行けよ。アテられるぞ」

「なんだ、そうかい？」

若い劇作家は舌を出した。

「じゃあ、降りよう」

ドアをあけて武辺は降りてきた。つづいて連れの男が降りた。これは片沢も知らない顔である。すらりとした格好でベレー帽をかぶっている。三十歳ぐらいの男だったが、片沢に目礼した。

「紹介しよう」

武辺は言った。

「この人はね。前衛劇団に所属する俳優さんで、宮田《みやた》邦郎《くにお》君だ」

「どうぞ、よろしく」

新劇の俳優は片沢におじぎをした。

「片沢です。絵をやっています」

「いや、お名前は存じあげています。武辺先生や和賀先生からお噂《うわさ》をうけたまわっております」

「そう、あなたは和賀をご存じなの？」

「いつぞや、ぼくが紹介したことがある。関川君もいっしょだったがね」

武辺がひきとった。

それで宮田邦郎が武辺について和賀のところに見舞いに行く理由がわかった。おそらく、武辺が病院に行くというので気軽について行く気になったのであろう。

「ここに立っていても仕方がない。ちょっとその辺でお茶でも飲もうか？」

武辺はあたりを見まわした。小さな喫茶店が真向かいに見えた。三人は歩いてその店の中にはいった。昼間の店は閑散だった。やはり、病院の見舞客らしいのが、二三人いるだけである。

「和賀の経過はどうだね？」

武辺は、おしぼりで顔をごしごし拭いてきいた。

「衝突のとき、前のシートで胸を打たれたというが、たいしたことはないらしいね。

元気だったよ」

「そうかい、何をやっていた？」

「あいかわらず、人が訪ねてきたりしていたが、今度、アメリカに行けそうだと言って、エラく張り切っていたよ」

ベレー帽をかぶった宮田邦郎という俳優は、二人の横につつましげに控えている。

「それにしても、和賀がタクシーに乗ったのはめずらしいな」

武辺はコーヒーを口に含んで言った。

「奴は自家用車を持って、しょっちゅう、運転しているくせに、なぜ、タクシーなんかに乗ったんだろう？」

「そうだね」

片沢は考えていたが、

「故障でもしたのかな？」

と、軽く言った。

「そうかもしれないな。それとも交通違反で免許証を一時取りあげられたのかな。なにしろ、奴も相当スピードを出すからな」

と、武辺は言ったが、ふいと思いついたように、

「奴はどこで事故にあったんだったっけ？」

「巣鴨《すがも》の駅前だそうだ」

「へえ、そんなところを何で通っていたんだろうな」

武辺は軽い疑問を起こしたように言った。

「さあ、そいつは聞かなかったがね。そうだな、そう言えば、何の用事であの辺を通っていたのかな？」

だが、その問題はそれきりになった。

「そのタクシーには、和賀が一人だけだったのかい？」

「そうらしいね、あれで田所佐知子がいっしょだとおもしろいがね」

「バカだな、君は。田所佐知子が乗っていれば当たりまえだが、ほかの女がいっしょだった方が、ずっとおもしろい」

「あ、そうか」

「タクシーに乗って、女もいっしょに怪我してみろ。和賀の奴、たちまち、田所佐知子と婚約解消になりかねない。これはおもしろいよ。惜しかったな、たった一人で乗っていたのは」

二人は笑いあった。片沢がかたわらの俳優を見ると、これは何か考え事をしていたのか、眉《まゆ》を寄せて沈んだ表情である。しかし、片沢の視線に気づくと、彼はお義理のように笑顔をつくってみせた。何か屈託があるらしい。

武辺が俳優の方を見て、

「君なんかも気をつけた方がいいよ。うかつに女の子とタクシーに乗って事故にでもあうと、どこから苦情が出ないともかぎらない。君、この人はなかなかモテるんだよ」

「つまらんことを言わないでください」

宮田邦郎は苦笑した。

そういえば、色こそ黒いが、立体的な整った顔をしている。それに俳優らしく垢《あか》ぬけた感じである。

「いや、たとえ和賀がほかの女といっしょに乗っていたことがバレても、田所佐知子との婚約は解消しないよ。かえって、結婚が早くなるかもしれない」

片沢が話を戻《もど》した。

「へえ、どうしてだい？」

劇作家が反問した。

「なに、佐知子は和賀にノボせているからな。あれは彼女の方がずっと熱をあげているよ」

「へえ、そうかい？」

「女というものはね、好きな男にそういうライバルが出てくると、よけいに懸命になるもんだ。相手の男がほかの女と交渉があったことがバレて怒ったり、妬《や》いたりするのは共通だが、問題はそのあとだ。それで男を不潔だとか何とか言って別れてしまう女は、熱のない方だ。ノボせている方は、かえって血道を上げるよ」

「いや、何だか経験のありそうな話をしているぜ」

片沢の説明を聞いて武辺が笑い出した。

「そうかい、田所佐知子は和賀にそんななのかい？　和賀の奴も仕合わせだな、なにしろ、彼女の後ろに田所重喜《しげよし》がいるからね。彼の勢力と財力とをバックにすれば、思いどおりの振舞いができるよ」

「しかし、和賀は、全然、佐知子の親父のことを認めていないんだ。これは、佐知子自身の話だが、和賀が親父を軽蔑していると言ってよろこんでいるよ」

「田所佐知子も甘いね。なに、そいつは口先だけで言っているんだ。和賀は、やはり、田所重喜を頼りにしているんだよ」

ベレー帽の男は、おとなしく傍聴していた。

雑談はそれからしばらく続いた。

「もう、いいだろう?」

武辺豊一郎が腕時計を見た。

「そうだね、あれから、だいぶん、時間が経《た》っているから、ぼつぼつ覗《のぞ》いてもかまわないだろう」

二人はにやりと笑いあった。

「じゃ、失敬」

「失敬」

ベレー帽の俳優ものそりと立ちあがった。

「どうも失礼しました」

と、画家に言った。

「失敬しました」

片沢睦郎も会釈《えしやく》した。

三人は陽《ひ》の明るい道路に出た。そこで片沢は駐車場まで戻り、置いてある自家用車の方へ歩いた。

劇作家と若い俳優とは自家用車を持たない。二人は歩いて公園のようなK病院の庭を通って、病棟《びょうとう》の方に行った。

廊下を歩いて特別室の前に立った。部屋番号は頭の上にある。それを確かめて、劇作家の武辺がドアをノックした。

応《こた》えはなかった。

武辺は、ふたたび叩《たた》いた。

それにも返事はなかった。武辺と宮田邦郎は顔を見合わせた。

そのとたん、ドアが内側から開いた。

「どうぞ」

顔を覗かせたのは、田所佐知子だった。訪問者が武辺と見て、

「あら、いらっしゃい」

と笑った。その顔があかく上気していた。

佐知子の唇から、ルージュが少しはげていた。

第五章 紙吹雪の女

1

蒲田《かまた》操車場殺人事件が、新転換をした。

事件が起こってから、すでに二月《ふたつき》以上経《た》っていた。捜査本部が解散してからも、もう一カ月以上になる。そのころになって突然、被害者の身もとが割れたのである。

それは捜査当局の自力ではなく届け出があったのだ。

ある日、警視庁に一人の男が訪ねてきた。彼は「岡山県江見《えみ》町××通り、雑貨商三木彰吉《みきしょうきち》」という名刺を出した。自分の父が三カ月前に伊勢《いせ》参宮《さんぐう》に出たまま行方不明となっている。もしや、それが蒲田操車場で殺された被害者ではないか、というのだった。

事件は迷宮入りのかたちとなって捜査本部も解いているが、この届け出を聞いて、捜査一課ではすぐに三木彰吉から事情を聞くことにした。

これまでの行きがかり上、その事情を聴取したのは、捜査本部時代の主任警部だった係長と今西栄太郎だった。

両人《ふたり》が会ってみると、三木彰吉というのは、二十五六歳の、いかにも田舎の商人といった実直そうな青年だった。

「どういう、ご事情でしょうか？　詳しく話してください」

係長はまず話を聞くことにした。

「はい、実は、私の父は三木謙一《けんいち》と申しまして、当年五十一歳になります」

と、若い雑貨屋は言った。

「この名刺にあるように、岡山県の江見という小さな町で雑貨商をしております。実は、私は謙一の実子ではなく養子でございます。謙一というのは早くから妻を亡《な》くし、子供もなかったので、私が店員にやとわれ、そのまま見込まれて養子となり、現在、土地の娘を妻にしております」

「ははあ、すると、いわゆる、婿《むこ》とり嫁とりというわけですな？」

今西栄太郎は、彰吉の朴訥《ぼくとつ》な話を聞きながら言った。

「そういうわけでございます。ところが親父《おやじ》の謙一は先ほども申しましたとおり、三カ月前に、この年になってまだお伊勢さまに詣《まい》っていない。一生のうちには詣りたいと、かねがね思っていたので、これから伊勢に行き、次に奈良、京都を見物して気ままな旅をたのしみたいと申します。これは私どもも、ぜひそうするがいいと勧《すす》めて出したわけでございます」

「なるほど」

「と申しますのは、私の親父はこの江見の町に、今から二十二三年前に雑貨商を開き、ずいぶん苦労して、どうにか、町いちばんの店にまで仕上がったのでございます。私としては養子でございますし、親父の苦労を知っていますので、その旅立ちを積極的にすすめたわけであります。出るときは、別に予定も決めずに、のんきな旅をして帰りたいと言っておりました。それで親父が、伊勢、京都、奈良をまわったものと思っておりました。いいえ、それは実は詣ったのでございます。行先から絵葉書などを寄越したりしました」

「それきり、お帰りにならなかったわけですね?」

「そうです。気ままな旅で予定も立てないということなので、長らく帰ってこないのも、別に気にしませんでした。ところが三カ月も待って帰らないと、これは少々心配でございます。そこで地元の警察署に捜索願いを出したのでございます」

岡山県江見町の雑貨商三木彰吉は話をつづけた。

「ところが、警察にそのことを申し出ますと、書類を繰《く》ってくれましたが、そういえば、こういう照会が来ているといって見せられたのが、警視庁からまわってきた蒲田の事件でございます。その人相書きを見まして、私はびっくりしました。たしかに、心当たりがございます。それで、こちらへすっとんできたようなわけで、まことにお手数ですが、被害者を確認させていただきとうございます」

そこで今西刑事は、衣類など被害者の遺品を取り出してきて見せた。

三木彰吉は、それを見るなり顔を歪《ゆが》めて、口の中で呻《うめ》き声をあげた。

「たしかに私の親父のものでございます。親父は田舎者ですから、こういう古ぼけた、粗末な洋服をきておりました」

顔を赤くして声まで変わった。

「そうですか、それはお気の毒です」

今西は、しかし、心の中で喜んだ。あれほど被害者の身もとを躍起《やつき》となって探したのに、ついに手がかりがつかめなかった。ここに初めて、その身もとが割れたのである。もう、九分九厘まで間違いはなかった。

「では、念のためにお写真をお目にかけましょう。お気の毒ですが、遺体はもう焼いてしまいました。しかし、ご本人の特徴は記録してありますから」

鑑識係の撮《と》った写真は、被害者の顔をあらゆる角度から何枚も撮っている。被害者の顔はめちゃくちゃに潰《つぶ》れている。これを一目見て、三木彰吉は、この残酷さに息をのんだが、ようやく特徴を探し当てて、父に間違いないと証言して、顔を伏せた。

被害者の身もとはわかった。捜査一課ではにわかに色めいた。この間、捜査本部をひき上げるとき、まるでお通夜《つや》のように寂しい思いで解散したのだが、今や、事件解決へ向かって、希望の灯が射《さ》しこんだのである。

三木彰吉に対する質問も、したがって丁寧なものになった。

「お父さんが伊勢詣りと言って出掛けられたとき、だいたい、どのくらいの金を持って出られましたか？」

養子はそれに答えた。

その金額は聞いたが、それほど大金とは思えなかった。まず、伊勢詣りや近畿《きんき》をまわってくるだけの旅費ぐらいだった。のんびりと予定のない旅に出たいと言ったくらいだから、その宿泊費をふくめて一カ月分と計算して、七八万円ぐらいだったという。

「お父さんは、伊勢から奈良へずっと旅行だと言われましたが、亡くなられたのは東京です。それに蒲田というところは、品川からちょっとはいった土地です。何かそんな土地に用があったのでしょうか？」

今西はきいた。

「さあ、その点が私もふしぎでなりません。伊勢や大阪をまわってくると言った親父が、なぜ、東京に行ったか、とんと見当がつかないのでございます」

「東京の方に行くということは、おっしゃいませんでしたか？」

「ええ、それは一つも口に出しませんでした。親父は予定があれば、前もって、それを私ども夫婦にもらすのでございますが」

「しかし、蒲田の駅近くで亡くなられているのですから、あの辺にお父さんの知合いがあったと思うのですが？」

「いいえ、それは心当たりがありません」

「あなたのお父さん、三木謙一さんは、土地のかたですか？」

「はい、岡山県江見町の在です」

三木彰吉は答えた。

「すると、ずっと土地の方ですね？」

「そうです」

「現在の商売、雑貨商は、二十二三年ぐらい前からお始めになったそうですが、それまでは何をなさっていたのですか？」

「はい、今も申しましたとおり、私は途中で養子にはいったものですから、詳しいことは知りません。養母《はは》も亡くなっておりますので、これは父から聞かされた話ですが、雑貨屋を始める前は巡査をやっていたということです」

「巡査を？　ほう、それはどこですか？　やはり岡山県ですか？」

「たぶん、そうだと思います。あまり詳しくは聞いたことがないので、よくわかりません」

「すると、その巡査を辞《や》めてすぐに雑貨屋さんになられたわけですね？」

係長は、何となく微笑して聞いた。巡査だったという前身が身近に考えられたからであろう。

「で、いまのご商売のほうはどうです。繁盛《はんじよう》していますか？」

「はい、江見は田舎の小さな町で、それに山奥ですから人口も少のうございます。それでも、商売の方はどうにか父の代から順調にやってきております」

「お父さんは、他人から恨まれるということはありませんでしたか？」

すると、養子は激しく首を振った。

「絶対に、そんなことはありません。養父《ちち》はだれからも尊敬されていました。私を養子にしてくれたのもそうですが、他人の力になって働くことが多く、そのために前には無理にかつがれて、町会議員になったことさえあります。養父《ちち》のようないい人はほかにありません。困っている人の面倒をよくみて、だれからも、仏さまのような人だと言われております」

「ははあ、そういうお方が東京で思いもよらぬ亡くなられ方をされたのは、残念ですね。われわれとしては、ぜひ犯人を検挙したいと思います」

係長は慰めるように言って、

「それで、もう一度、うかがいますが、お父さんが伊勢や京都、奈良を見物すると言って出掛けられたとき、東京に行くという予定は全然なかったんですね？」

「はい、ありませんでした」

「お父さんは、まえに東京に来られたことがありますか？」

「私の知るかぎりではありません。養父《ちち》が東京に居住したとか、旅行したとかいうことは聞いておりません」

今西刑事はその問答を傍《そば》で聞いていたが、係長の許可を得て質問した。

「あなたの住んでおられる土地に『カメダ』という地名はありませんか？」

「カメダですって？　いいえ、そういう地名はありません」

三木彰吉は今西の方を向いて、はっきりと答えた。

「それでは、お父さんの知合いにカメダという人はいませんか？」

「いいえ、そんな名前の人はおりません」

「三木さん、これは大事なことですから、よく考えてください。本当にカメダという人に心当たりはありませんか？」

三木はそう言われて、また何分か考えこんでいたが、

「さあ、どうも私には心当たりはありませんね。いったい、それはどういう人でしょうか？」

と、向こうで反問してきた。

今西は係長と目顔で相談した。捜査の秘密になることだが、係長はいいだろうというような合図をした。

「実は、あなたのお父さんと、犯人らしい人物とが現場の近くの安バーで飲んでいたのです。それには目撃者があるのですが、その人たちの言うところによると、あなたのお父さんと、その相手の男との間には、カメダという名前が出ていたそうです。カメダが地名か人名か今のところわかりませんが、とにかく、それは二人とも知っている名前だったのです。われわれは、当時、そのカメダの名前を手がかりに捜査したものですがね」

「そうですか」

しかし、それからも若い雑貨屋は考えこんだが、結局返答は同じだった。

「どうも、私には心当たりはありません」

その様子を見つめていた今西は、質問を変えた。

「三木さん、あなたのお父さんは東北弁を話しますか？」

「え？」

三木彰吉はびっくりしたような目つきをした。

「いいえ、養父《ちち》は東北弁などは話しません」

この返事は、今度は今西栄太郎をおどろかせた。

「それは、間違いありませんか？」

「ええ、間違いありません。今も言ったとおり、私は店員から養子になったのですが、養父《ちち》が東北の方に住んだとは聞いたことがありません。生まれたのは岡山県江見町在ですから、東北弁を使うはずはないと思います」

三木彰吉は言い切った。

今西栄太郎は係長と顔を見合わせた。

これまで、被害者が東北弁を使っていたことが、一つの決め手だったのだ。それをタヨリに、今西は、秋田県くんだりまで出張したのである。

三木彰吉の答えは、完全にその決め手をひっくり返してしまった。

「それでは聞きますが」

今西は迫った。

「あなたのお父さんの両親、つまり、あなたにとって、義理の祖父母になるわけですが、そういう血筋の中に東北生まれの人はありませんでしたか？」

三木彰吉は即座に返事した。

「それもありません。親父の両親というのは兵庫県だそうです。東北なんかには、縁故はありませんよ」

今西は考えこんだ。

では、あのバーで、被害者を目撃した人が、誤って東北弁と聞き違えたのであろうか。

いや、そんなはずはない。一人や二人ではなかった。あのバーに居合わせた客も店の女も、口を揃《そろ》えて、被害者は、東北弁で話していたと証言している。

今西は当惑した。

「また、何かとこちらで連絡することがあるかと思います。そのときは、ひとつ、ご協力ください」

横から係長が三木彰吉に言った。

「それでは、このまま引き取らせていただいていいでしょうか？」

「結構です。どうも、今度はとんだことでご愁傷《しゆうしよう》さまでした」

係長と今西は悔みを述べた。

「ありがとうございます。それで」

と、被害者の養子はきいた。

「親父を殺した犯人の目星はつかないのですか？」

「それが、今までのところわからなかったのです」

係長はやさしく言った。

「しかし、今度こうして犠牲者があなたのお父さんだということがわかったので、捜査が大変やりやすくなりました。これまでと違って事情がはっきりしてきたので、捜査もその方に重点を置くことができます。ほどなく、犯人をあげることができると思います」

おとなしい養子は頭を下げた。

「しかし、親父は、どうして東京の方に来たのでしょうか？」

これは、刑事の方からききたいことだが、養子にも解けない謎《なぞ》らしかった。

「そうですね。それがわかると、この捜査はもっと進むと思いますよ。しかし、それも、こちらの方で解決できると思います」

係長は慰めた。

三木彰吉は何度もおじぎをして警視庁の玄関を出ていった。今西は玄関まで見送った。

席に戻《もど》ると、係長はまだそこに残っていた。

「えらいことになったね」

係長は今西の顔を見ると言った。

「ひどいことになりました」

今西も苦笑した。

「今までの考えは、すっかり、ひっくり返りました。被害者の身もとがわかったのはいいのですが、また元の振り出しに戻りました」

「そうだな」

しかし、係長は今西ほどにはがっかりしていなかった。被害者の身もとが割れたので、表情が明るかった。

「これで、どうやら、お宮入りの失点が返上できそうだよ」

係長との打合わせがすんだ。今西は自分の部屋に帰るつもりだった。

だが、このまま、あの狭い、こみあっている刑事部屋に帰るのは、気が進まなかった。

彼は、建物の裏庭の方へまわった。銀杏《いちょう》の木が高いところで葉を茂らせている。光を含んだ夏の眩《まぶ》しい雲が、その上にかかっていた。

今西は梢《こずえ》を眺《なが》めてぼんやりしていた。

彼は、まだ「カメダ」と「東北弁」に未練があった。

今西栄太郎は帰る前に吉村のところへ電話をした。

吉村は事件の起こった所轄署《しょかつしょ》勤務だが、すぐに電話口に出てきた。

「吉村君かい、今西だ」

「どうも」

吉村は言った。

「この間は、ご馳走《ちそう》になりました」

吉村は、あれから一度今西の家に遊びにきている。

「吉村君、君とさんざん苦労した、あの蒲田操車場の被害者の身もとがわかったよ」

「そうだそうですね」

吉村は知っていた。

「今、署長さんから聞いたところです。そちらの係長さんから連絡が来ましてね」

「そうか、聞いたのか」

「岡山県の人間だそうじゃないですか？」

「そうだ」

「まるきり、ぼくらの見込み違いでしたね」

むろん、吉村も今西と組になっていたころから、東北とばかり思いこんでいる。

「見込み違いだった」

今西は憮然《ぶぜん》として答えたが、

「しかし、被害者の身もとがわかったのはありがたい。これからも、ぼくが、そっちの応援に行くことになるだろうから、また、君の世話になるかもしれないよ」

「ありがたいですな」

吉村は電話口でよろこんでいた。

「ぜひ、そうお願いしたいです。いや、また今西さんと組になったら、これは勉強になりますからね」

「何を言う、もうだめだよ。第一、この事件で最初からぼくの見込みが違ったじゃないか」

今西が自嘲《じちょう》すると、

「それはそうですが、これからの出直しということがあります」

吉村の方が慰めていた。

「とにかく、明日にでも会いたいな。どうせ、ぼくに、これをやれという命令があるだろうからね」

「わかりました。お待ちしています」

今西は、それからまもなく警視庁を出た。

家に帰ってからも、まだ、外は明るかった。日が長くなっている。もっとも、帰りかたはいつもより早かった。

「お風呂《ふろ》に行ってらしたら？」

女房が言った。

「そうだな、じゃ、坊主《ぼうず》を連れて一風呂浴びてくるか」

十歳《とお》になる一人息子の太郎は、珍しく早く帰ってきた父と風呂に行くのがうれしいらしく、はしゃぎまわっている。

近くの銭湯に行ってかえると、夕食の支度がしてあった。まだ外が明るいので、電灯の光が冴《さ》えない。

留守の間に妹が来ていた。

妹は川口《かわぐち》に住んでいる。夫は鋳物《いもの》工場の工員だったが、小金を貯《た》めて、小さなアパートを持っていた。

「兄さん、今晩は」

別間で、外出着を女房のふだん着を借りて着替えたらしい妹が、顔を出した。

「来ていたのか?」

「ええ、たった今」

今西は渋い顔をした。この妹は、しじゅう、夫婦喧嘩《げんか》のシリを持ちこんでくる。

「兄さん、暑いわね」

妹は、兄の今西栄太郎の横に来て、ぱたぱたと団扇《うちわ》を使った。

「うん」

今西はちらりと妹の顔をうかがった。夫婦喧嘩の果てにかけこんでくるときと、そうでないときとは顔つきでわかる。今西は安心した。

「何だい、また、やりあってきたのか?」

夫婦喧嘩でないときは、今西はわざとそんな言い方をする。これが、はっきりそうだなとなると、触れないですまそうとする。

「いいえ、今日はそうじゃありませんよ」

妹は多少てれくさそうな顔をした。

「今日は主人《うち》が夜勤だし、朝から引越しの手伝いがあってくたびれたから、骨休めに来ましたのよ」

「何だい、引越しの手伝いって？」

「家《うち》のアパートが一部屋ふさがったんです」

「陽当《ひあ》たりの悪いと言っていたあの部屋かい？」

その部屋がふさがらないといって、妹は前からこぼしていた。それに借り手がついたというのだ。そのせいか今日は機嫌《きげん》がよかった。

「それはよかったな。それでおまえが手伝いのサービスをしたのか？」

「そういうわけじゃないんですけれど、今度の人は、女ひとりなんです」

「へえ、ひとり者か？」

「そう、二十四五ぐらいです。別に手伝い人も来ていないようでしたから、気の毒なので加勢したんです」

「そうかい。女ひとりというと、まさか二号さんじゃないだろうな?」

「違うわ。もっとも、水商売の人には違いないけれど」

「へえ、料理屋の女中か?」

「ううん、銀座のバーの女給さんだそうよ」

「ふん」

今西はそれきり黙った。日照りつづきで暑さがひどい。ことに、この家のぐるりが他所《よそ》の家で壁のようになっているので、風が少しもはいらなかった。

「川口くんだりのアパートに越すくらいだったら、あまり、景気のいいバーに働いている女給さんじゃないな」

「そうでもないでしょう」

妹は兄にケチをつけられたと思ったのか、少しむっとして反発した。

「そりゃあ、銀座に便利のいいところといったら、赤坂や新宿あたりでしょうけれど、お客がとてもうるさいんですって。店が看板になってから、何だかんだと言って送りたがるんですって」

「へえ、では、それに懲《こ》りて川口に移ったのか。今までどこにいたのかい?」

「何でも麻布《あざぶ》の方ですって」

「美人かい?」

今西はきいた。

「ええ、とってもきれいな女《ひと》よ。どう兄さん、一度見にこない?」

そこに今西の妻が切った西瓜《すいか》を鉢《はち》に入れてきたので、妹はペロリと舌を出した。

「さあさあ、冷たいうちにあがってくださいよ。太郎ちゃんもこっちにいらっしゃい」

と、彼女は庭で遊んでいる子供を呼んで鉢を置くと、

「お雪《ゆき》さんのアパートも、今度みんなふさがったんですって」

と、今西に話しかけた。

「ああ、今、聞いたよ」

2

若い評論家の関川重雄は、恵美子《えみこ》をタクシーに乗せて走っていた。

夜の十二時近くで、中仙道《なかせんどう》の家並みはほとんど戸をしめていた。自動車《くるま》の光だけが流れて奔《はし》っている。

「疲れたわ」

と、女は言った。

「今夜お店を休もうかと思ったんです。でも、あなたとの約束があるから、無理して出てきたのよ」

恵美子は座席で関川の手をかたく握っていた。

「だれかに手伝いを頼んだのかい?」

関川は前方を見ながらきいた。

「いいえ。家《うち》の中に運ぶまでは運送屋さんがしてくれましたが、あとが大変。それでも、アパートのおばさんが手伝ってくれましたわ」

彼女は関川の体に肩を寄せていた。

「こんなとき、あなたが来てくださると、ほんとによかったと思うわ」

彼女は、うらむような、甘えるような口調になった。

「そうもいかない」

「ええ、それはわかっているわ。でも、そんなとき本当につまらないわ」

関川は黙った。

タクシーは坂道をのぼっていた。

「遠いんだね」

関川は道を眺めながら言った。

「ええ、でも、電車だとあんがい早いんです」

「どれくらいかかる？」

「銀座まで四十分だわ」

「それは早いね」

関川は言った。

「前のところよりいいじゃないか。時間もそう違わないし、閑静でいいよ」

「いやだわ、閑静なものですか。田舎だし、それに近所が鋳物工場ばかりなんです。あんまりがらのいいところじゃないわ」

「まあ、辛抱しろ」

と、関川は言った。

「そのうち、いい場所があったら越すんだな」

「あら、また引越し？」

女は男の横顔を見た。

「そんなに、たびたび、うつらなければいけないんですか？」

「そういうわけじゃないが」

「今度のところに移って、前のアパートの良さがわかりましたわ。買物も近いし、都心に出るのも気が楽なんです。今の場所だと、何となく泥《どろ》くさいし、気持ちがめいっちゃうわ。あなたの言いつけだから、しかたがないけれど」

「そりゃあ、仕方がないよ。君が悪いんだ」

「あんなことを言って」

恵美子は握った関川の手に力を入れた。

「わたしのせいじゃないわ。あなたが見られたのが悪かったのよ。それも……」

「よせ」

と、関川は顎《あご》を前にしゃくった。

運転手は猛烈なスピードを出している。ヘッドライトの中で、中仙道がぐんぐん流れていた。

しばらく黙っていると、前方に橋が光りながら近づいてきた。

長い橋を渡ったところで、関川はタクシーをとめた。

「ここでいいんですか?」

運転手は左右を見ていたが、暗い土堤《どて》が長々とつづいているのを見て、ニヤリとした。

関川に続いて恵美子がおりた。

関川は黙って川土堤の道を歩いた。荒川《あらかわ》の暗い水面が前に広がっていた。

一方の土堤の下は工場地らしく、黒い建物がつづいていた。眩《まぶ》しい外灯の光が点々と灯《とも》っている。

関川は土堤道を川原の方へおりた。夏草がしげっている。

「こわいわ。あんまり遠くに行かないでいましょうよ」

恵美子は関川の腕に手を掛けていた。

関川は、かまわずに、水のある方におりていく。

「どこまで行くの、ねえ」

下に小石があるので、恵美子は、ハイヒールを気づかいながら、彼の方によりかかった。

対岸に遠いネオンが光っていた。星が多い。

関川は立ちどまって言った。

「おい、つまらないことを言うんじゃないよ」

突然だった。

「あら、何のこと？」

恵美子はおどろいた声を出した。

「さっきのタクシーの中のこと。運転手に何を聞かれるかわからないよ。あれで、背中でじっと聞いているんだからね」

「そう」

女は素直だった。

「悪かったわ」

「それは言ってあるだろう。それを、君、顔を見られたから運が悪い、などとくだらんことをしゃべっちゃだめじゃないか」

「すみません。でも……」

「でも、何だい？」

「でも、あなたは、ずいぶん、ひとりで気にしていらっしゃるけど、先方の学生さんは気づいていないと思うわ」

関川は、ポケットから煙草《たばこ》を取り出し、手で囲って火をつけた。顔の半分が、瞬間に明るくなったが、不機嫌な表情だった。

「それは、君の気休めだ。ぼくは信じないね」

煙といっしょに乾いた声を出した。

「君の前の部屋の学生が、君にぼくのことをきいたというじゃないか？」

「あなたっていうことを、先方では知りませんわ。ただわたしの部屋に先夜見えたお客さまは、どういう人かってきいただけなんです。ちょっとした興味だけですわ。別に深い意味はないと思うわ」

「それみろ」

関川は言った。

「そんなことを君にきく以上は、ぼくが廊下で出会ったあの友だちの学生に何か言われた証拠だ。振り返ってぼくを見たときのあの学生の目つきが、どうも、ぼくの顔を知っているような具合だった」

「前の部屋の学生さんがわたしにきいたときは、そんな感じではなかったわ」

「ぼくは、ときどき、新聞に評論を書くので、顔写真が出る」

関川は暗い川の方を見て言った。

「相手は学生だ。ぼくの書いたものを読んでいるに違いない。写真の顔も、彼の記憶にぼんやりとあったのだ」

暗い中に黒い水面がかすかに光っていた。遠いところで電車が鉄橋を渡っていた。光の帯が水面に映りながら尾を曳《ひ》いてゆく。

「かなしいわ」

恵美子は言った。

「何がだい？」

関川は煙草の小さい火を息づかせていた。

「だって、あなたはいろんなことに気をおつかいになるんだもの。わたしっていう女が、だんだんあなたの邪魔になりそうな気がするの」

対岸の闇《やみ》の中に口笛がかすかに聞こえた。若い人が歩いているらしい。

「君は、ぼくの気持ちがまだわからないのか？」

関川は恵美子の肩に手をおいて言った。

「ぼくは今大事な時期だ。ここで君のことが表面に出てみろ、ぼくはどんなふうに悪口を言われるかわからない。ぼくは、仕事でいろいろな人を批評しているので、それだけに敵が多い。君とのことがわかってみろ、なんだ、あいつは、ということになるだろう」

「わたしがバーの女給だからいけないのね。和賀さんの許婚者《フィアンセ》みたいにちゃんとした家《うち》のお嬢さんだったら、あなたもそう人に気兼ねすることはないんでしょう？」

「和賀とぼくとは違う」

関川は、突然、腹を立てたように言った。

「和賀は出世主義者だ。ぼくは奴《やつ》のように、口先では新しいことを言いながら、実は、最も古い根性を持っている男とは違う。君がバーで働いている女だろうとなんだろうと、ぼくには少しもかまわないことだ」

「だったら……」

と、女は言った。

「だったら、どうしてそんなに、人の目ばかり気になさるんですの？　わたし、どんなところでも、もっと堂々とあなたとごいっしょに歩きたいわ」

「わからない奴だな」

と、関川は軽く舌打ちした。

「君は、ぼくの立場を知っているだろう？」

「そりゃあ、知ってますわ。あなたっていう人が普通の職業とちがうっていうことも。本当に尊敬しているんです。それだから、わたし、あなたに愛されているのを幸福に思ってるんです。できたら、友だちに自慢してやりたいくらいなんです。いいえ、それはだれにも決して話しませんわ。ですけれど、気持ちはそうなんです。それはわかってますけれど、ときどき、こんなことがかなしくなります。今度のことだって……」

と、女はつづけた。

「あのアパートの学生さんに顔を知られたからすぐに引越せとおっしゃるんですもの。なんだか、わたし、いつまでも、あなたの陰の女みたいになってるような気がするわ」

「恵美子」

と、関川は呼んだ。

「その気持ちは、ぼくにはよくわかる。だが、何度も言うとおり、ぼくの立場になってほしい。ある時期まで、ぼくは君に犠牲を強《し》いなければならない。ぼくは、今どうにか世に出かかっている大事なときなんだ。ここでつまらない噂《うわさ》を立てられて、その出鼻をくじかれてみろ。今までの努力も、これからの希望もめちゃくちゃになる。ぼくは、ぼくの仲間に負けたくないからね。君はぼくの用心深さを軽蔑《けいべつ》しているかもしれないけれど、ぼくのいる世界はそういうところなんだ。あんがい、そういうスキャンダルみたいなものが、つまずきになるような世界なんだ。辛抱してもらいたいね」

関川は女の顔と肩とを、にわかにひき寄せた。

3

夜の銀座裏を一人の男が歩いていた。彼は、ある新聞社の学芸部員だった。

おりから、人の流れが多かった。彼はバーを出たばかりだったが、賑《にぎ》やかな飾窓のならんでいる方に歩いていくと、歩道で一人の若い女とすれ違った。ウィンドーの灯が、その女の横顔を縞《しま》になって照らしたのだが、それを見た瞬間に、学芸部員は頭をかしげた。

どこかで見たことがある、といった風情《ふぜい》だった。

その女は急ぎ足だったので、たちまち人混みの中にまぎれてしまった。

どこかのバーの女かな、と彼は考えたが、思い出せなかった。

そのまま歩いて四丁目の方に向かった。本屋はまだ店をあけていた。

彼は店の中にはいって、新刊書の陳列棚《だな》をながめていた。すぐには、手を出したいような本が見当たらない。彼は漫然と書棚を眺めながら奥へ進んでいった。

「あなたのための愉《たの》しい旅」という本が目についた。近ごろ、しきりと出ている旅行の案内書だった。それを見た瞬間、学芸部員は、あっという目になった。思い出したのだ。

ちらりと見た横顔に、確かに見覚えがあった。バーで出会った女ではなかった。旅先で汽車に乗りあわせた女性である。

あれは、信州《しんしゅう》の大町《おおまち》からの帰りだった。二等（一等車と改称されない前）は空《す》いていた。たしか乗客は二十人といなかったと思う。

その女は甲府《こうふ》から乗り込んできた。彼のすわっている座席の通路を隔てた向かい側に、彼女は席を取った。窓際《まどぎわ》だった。なかなかの美人だった。服装はそれほど上等な物は着ていないが、その選び方や着こなしにセンスが見えた。

確かに、あの女だ。

あれは、もうだいぶん前の話だった。そうだ、大町にいま開発中の黒部峡谷《くろべきょうこく》ダムの話を取材に行ったときだから、五月の十八九日ごろだった。夜汽車だし、まだ、窓をあけて風を入れるほど車内は暑くはなかった。

ところが、その女は、甲府を過ぎると、窓を半分あけたのである。いや、それだけだったら、彼の記憶にそう残ることはなかった。それからの動作がちょっと奇異だったのだ。

そこまで考え出した時に、後ろから肩をおさえる者がいた。

「村山《むらやま》君」

学芸部員は、名前を呼ばれた。

振り返って見ると、それは川野《かわの》という大学教授で、評論も書いている人だった。

川野教授は、ベレー帽をかぶっている。これは教授の薄い頭を隠すためだった。

「何をぼんやりしているんだい？　本を前にして、いやに深刻そうな顔をしてるじゃないか」

川野氏は、眼鏡の奥の目に皺《しわ》を寄せて笑っていた。

「あ、先生ですか」

村山と呼ばれた学芸部員は、あわてておじぎをした。

「ご無沙汰《ぶさた》しています」

「いや、こちらこそ。しばらくだね」

「先生もご散歩ですか」

「どうだい、久しぶりだから、その辺でコーヒーでものもうか」

教授は酒が飲めなかった。

「本屋で、何を深刻そうに考えていたんだ？」

明るい喫茶店にはいって、コーヒーを啜《すす》ると、まだ川野教授はこだわっていた。

「いや、考えこんでいたわけじゃありません。ちょっとあることを思い出していたんです」

村山は笑って言った。

「そうか。ぼくはまた、君が深刻そうな顔つきでいるから、どんな本が君をうならせているのかと思って、のぞいてみたら、旅の本だったね？」

「そうなんです。実は、旅のことでふと思い出したことがあったんですよ。というのは、旅先で出あった女に、さっき、すれ違ったんです。その時は思い出せなかったんですが、あの本のおかげでわかりましたよ」

「聞き捨てならんね」

と、教授は言った。

「何か、ちょっとしたロマンスでも車中で咲いたというのかね」

「いや、そうじゃないんです。つまらん話です」

「退屈してる時だ。つまらん話でも聞いてあげよう。どういうのだね？」

教授は少し反《そ》っ歯を見せて村山からの話をさそった。

「そうですね、じゃ、つれづれのままに話しましょう」

村山は言った。

――つれづれといえば、その時も、村山は長い汽車に飽《あ》いていた。だから、甲府から乗ってきたその若い女に注意が向いたともいえる。

その女は、ハンドバッグのほかに小さな手提《てさ》げを持っていた。スチュワーデスなどが持っている、しゃれた小型の、青いズックのケースだった。

甲府を過ぎると、汽車は寂しい山地にかかる。彼女は最初、文庫本か何かを読んでいたが、汽車が塩山《えんざん》あたりを過ぎたころ、窓をあけたのだった。まだそれほど暑い時候ではないから、向かい側のあいた窓から冷たい風がはいってきたのを、村山は憶《おぼ》えている。

女は、その窓から暗い外をのぞいていた。夜だから景色が見えるわけはない。遠くに人家の寂しい灯が流れるだけで、あとは黒い山の連続だった。それでも、女は窓際に体を向けて、熱心に外を眺めている。

ははあ、この線にはあまり乗ったことのない女だな、と村山は思った。甲府から乗ったことがわかっているから、土地の人が東京に遊びにいくのかもしれないと思った。が、それにしては、その女の服装は何となくアカ抜けていた。平凡な黒いスーツなのだが、着こなしがいい。やはり東京で生活をしている人間としか思えない。ほっそりとした横顔で、体つきもすらりとしていた。

村山は、自分の読んでいる本に目を戻した。そのうち一ページと読まないうちに、女の動作に気づいたのである。

その女は、小型のケースを膝《ひざ》に取って中をあけると、何やら白いものをつかんで、窓の外に捨てはじめたのである。

それが、ちょっと無邪気な動作であった。

はてな、と思った。

村山は、そっと横目で見た。

その女はいったい何を捨てているのか、その小さなケースから握っているのを見ると、どうやら白いものなのである。

外は汽車の進行で風が起こっている。女は窓の外に手を出して何か捨てている。それが塩山あたりから次の駅の勝沼《かつぬま》までの間だった。

最初、それは何か不要な紙でも捨てたのかと思った。

ところが、彼女はそれからしばらく本を読み続けていたが、今度は初鹿野《はじかの》と笹子《ささご》との間でも、本を置いて、また小さなケースから何か握っては窓の外に捨てはじめた。

何をやっているのだろうと、村山は軽い興味を起こした。そこで手洗いに立つようなふりをして、車両の端に歩いた。

そこで、窓の外を何気なく見たのだが、暗い中に白い小さな紙が吹雪《ふぶき》のように、風に散っているのだった。五六片ぐらいだから、吹雪という形容は大げさだが、とにかく、そんな感じだった。

村山は思わず微笑した。その子供らしい所作《しょさ》に微笑を誘われたのである。彼女も汽車の退屈をそんないたずらでまぎらわしているのかと思った。

村山は席に戻った。

それから、本を手にとって読みつづけたが、どうも、通路を隔てた向かい側の彼女のしぐさが気になった。

すると、大月《おおつき》駅近くになってから、また、彼女は小さなスーツケースに手を入れて、紙吹雪を撒《ま》きはじめたのである。見たところ、二十五六ぐらいで相当教養もありそうな女と思うのだが、それだけに、そのいたずらっぽい仕方が変わっていた。

やがて汽車は大月駅に着いた。

すると、新しく二等車に客がはいってきた。その中の五十近くの年輩のでっぷりした紳士が、車内をじろじろ見まわしていたが、やがてその女の向かい側に腰をおろした。薄茶色の上等の洋服を着て、同じ色のハンチングをかぶっていた。

紳士は、ポケットから二つ折りにした週刊誌を出して読みはじめた。

それとなく見ていると、彼女の方は自分の斜め前に新しい客が来たので、ちょっと当惑げだった。それでも窓をしめようとはしなかった。そのまま列車は進行した。すると、大月を出ていくつかの小さな駅を過ぎたころから、彼女はまたもや白い紙の小片を暗い闇の中に撒きはじめたのだった。紳士は寒い風がはいってくるので、ちょっと顔をしかめたが、若い女の方をちらりと見ただけで、別に苦情は申し立てなかった。

そのまま、村山は本の世界にはいった。しばらくして気づいたのだが、彼女は、もう窓をしめていた。別段、紳士が文句を言った声を聞かなかったから、彼女の方で自発的に窓をおろしたと思える。

彼女は小さな本を手に取って読みふけっていた。黒いスカートの下からきれいな脚《あし》を見せている。

また、しばらく時間が経《た》った。列車は浅川《あさかわ》（現在の高尾）を過ぎて八王子《はちおうじ》近くになっていた。やれやれ、東京もすぐだと思って、村山が目をあげると、紳士が猪首《いくび》を伸ばして、しきりと彼女の方に話しかけている。その態度が、ひどく愛想《あいそ》よかった。

紳士と、その若い女とは、話をかわしている。

ところが、おもに話をしかけるのは紳士の方で、彼女は短くうけ答えするだけだった。いつのまにか、紳士は彼女のまん前に体を移し、前屈《まえかが》みになって、話に熱心になっている。

彼女は、それにちょっと迷惑そうだった。

もちろん、二人は知合いではない。紳士があとから乗りこんで、席がいっしょになったものだから、退屈まぎれに世間話をしているというところだった。ところが、村山が様子を見ていると、どうも単純な雑談でもないらしい。

紳士の顔は、ひどく熱心なのだった。煙草を取り出してすすめたが、これは彼女の方で頭《かぶり》を振った。次には、チュウインガムを取り出して差し出したが、彼女は容易にそれを受け取らなかった。

紳士の方は、相手の遠慮とみてか、多少、強引なくらいにすすめる。ついに、彼女も根負けしたように、それを手に取ったが、包み紙を破るでもなかった。

それからの紳士の態度がだんだん怪しくなってきた。彼は無造作に女の脚の方に膝を伸ばした。すると、彼女はびっくりしたように、脚を引っこめて縮んだ。

それでも、紳士は気がつかないふりをして、伸ばした足をそのままにし、なおも何か話しかけている。

村山は、車中で若い女性が中年男に誘惑をかけられる話を、前から聞いていた。長い道中ならいざ知らず、大月から東京の間で、早くもこのような行動を起こす紳士に、彼は内心で憤慨した。もし、これ以上彼女が迷惑したら、飛び出していく覚悟だった。

だから、本を読んでも身がはいらなかった。絶えず向こう側の座席の様子を観察していた。

彼女が、はっきり迷惑を顔に出しているので、さすがに紳士も、それ以上に露骨な態度を見せなかった。しかし、あいかわらず、彼女にいろいろと話しかけている。

汽車は立川《たちかわ》を過ぎて、しだいに東京の灯に変わってきた。車内では、ぼつぼつ、網棚から荷物をおろす人もあった。

ずうずうしい男は、なおも話をやめない。荻窪《おぎくぼ》駅が流れ去って、中野《なかの》あたりを過ぎても、腰を上げようとはしなかった。彼女の方は、例の小型ケースとハンドバッグ以外に持っていないので、手まわり荷物の心配はなかった。それでも、中野あたりの街の灯が流れてくると、思いきったように紳士に挨拶《あいさつ》して立ちあがった。

すると、紳士も、それにつれて立ちあがったが、その時、彼女の方に近づいて、素早く何かささやいていた。女の方は顔を赤くし、大急ぎで入口の方へ向かった。

村山がそこで見ていることは全然眼中になく、紳士は彼女のあとからすぐつづいた。

村山も本をたたんで立ちあがった。

新宿駅のホームに列車はすべりこんだ。

入口に歩くと、紳士は、女の背中にぴたりとくっつくようにして立っている。そして、そこで、なおも小声で話しかけているのだった。あきらかに、彼女をこれからどこかに誘いかけているのだった。

村山は、これ以上紳士が彼女にまつわったら、自分が騎士《ナイト》の役を買うつもりでいた。

列車は終着駅に停車した。


「こういうことがあったので、ぼくはその女を思い出したんですよ」

村山は川野教授に話した。

「そりゃ、おもしろいね」

教授は笑った。

「近ごろ、そういう連中がふえたそうだね。若い連中に負けずに年寄りも行動的になったものだ」

「ちょっと、あきれました。話はきいていましたが、実際に目で見たのは初めてです」

「しかし、その娘さんが、いや、娘さんかどうかわからないが、その若い女性が窓から紙吹雪を撒いていたというのはおもしろいね。君は無邪気だと言ったが、何かぼくは詩的な感じさえ受けるよ」

「そうなんです」

村山も同感した。

「そのあと、ああいう俗っぽいことがあったので、よけい腹に据《す》えかねました」

「先方は、つまり、若い女性の方だね。君にははじめから意識がなかったのかね」

「なかったと思います。すれ違ったときも、もし向こうの方で気がついていたら、何とか目礼ぐらいはしてくれるでしょうがね」

「なるほど、銀座の夜、その女と君が出会っても、すぐには思い出さずに、本屋で、君が、気がついたというのも変わっている」

教授は興味を起こしていた。

「村山君」

と、彼は呼んだ。

「ちょうど、ぼくは雑誌から頼まれた原稿があってね。随筆だがネタがなくて困っていた。今の話をいただくよ」

「こんなことが話になりますか？」

「そこは、適当に潤色して何とか五枚ぐらいにデッチ上げるよ」

教授は手帳を出した。

「もう一度きくが、それはいつごろかね？」

「そうですね。五月の十八日か十九日ではなかったかと思います」

「うんうん。なるほど、まだ窓をあけるほど暑くはないと言っていたね」

教授はその日付を手帳にメモした。

「先生」

村山は、ちょっと心配になった。

「ぼくの名前は出ないでしょうね？」

「安心したまえ。君の名前なんか出したってしようがない。これは、他人の話にすると弱い。ぼく自身が実見したことにしよう」

「そうですね。その方が読者がよろこぶでしょう。実は先生もその女性に思召《おぼしめ》しがあったというふうにしたらどうですか？」

「ひどいことを言う奴《やっ》だ」

教授は笑った。

「ぼくもいやらしい初老男の組だ。しかし、これでも行動派ではないから安心したまえ。ところで、村山君。君も車中で、あんがいその女性と二人っきりのとき、何かきっかけを作りたかったんじゃないかね？」

「そうでもありませんがね」

と、村山はちょっとテレたような顔をした。

「美人かい？」

教授は突然確かめた。

「まあ、美人の方です。ちょっと痩《や》せがたで、すらりとした姿でした。愛くるしい顔でしたよ」

「うんうん」

教授は満足そうに手帳に鉛筆を走らせた。

4

今西栄太郎は、妹が帰るというので、駅まで見送ってやることにした。

「お雪さん、泊まっていったら？」

と、妻が言ったが、妹は家の方が気にかかると言って、帰り支度にかかった。

「それみろ、旦那《だんな》が夜勤だからハネを伸ばしにきたんだと言いながら、やっぱり、女は家のことが忘れられないだろう？」

今西は言った。

「やっぱり、だめね」

　妹も笑っていた。

「普通の日では泊まれないわ。夫婦喧嘩《げんか》のときでないとその気になれないのね」

　妹を送って今西夫婦が家を出た。かなり遅い時刻なので、通りの半分の家は戸をしめていた。狭い路地が暗くなり、ところどころ遅い店が灯を道に投げている。

　人通りは少なかった。やがて、新しくできたアパートの傍《そば》を通った。やはり、商売柄《がら》、妹はそのアパートを立ち止まって眺めていた。

「わたしも、せめて、これくらいのアパートの半分でも持ちたいわ」

　彼女は嘆いた。

「今のうちに、さっさと家賃をためこんで、資金《もとで》にするんだな」

　今西は笑った。

「だめよ、これで生活費がかさむから。とても追っつかないわ」

　また、三人で歩き出した。

　すると、向こうから洋装の女が歩いてきていた。店の灯が、その前を通る瞬間の彼女の横顔を照らした。

　背のすらりとした若い女だった。今西たちの歩いている横をはばかるようにして、急ぎ足で過ぎた。

五六歩行ったところで、今西は妻にささやかれた。

「あのひとですよ」

今西が何のことかと思っていると、

「そこのアパートにいる劇団の人ですよ。ほら、いつか話したでしょう？　新劇の女優さんということですが、それは間違いで事務員だそうです」

今西は振り返った。このときは、もうその女の姿はアパートの方へ消えていた。

「劇団の人だから、てっきり、女優さんという噂《うわさ》が立ったんですね」

「そうか」

今西はまた歩き出した。

「何ですの？」

妹が横から口を入れた。

「いいえね、先日、そこのアパートに新劇の人が越してきたんです。かわいい顔をしているので、みんなが女優さんかと思い違いしたんですわ」

「どこの劇団かしら？」

「さあ、そんなことは聞かなかったけれど」

妹は映画や芝居が好きだった。だから、劇団の名前をきいたのだ。

「あれで、部屋代は幾らかしら？」

妹の関心は、今度は、そのアパートに向かった。

今西の妻が答えた。

「さあ、六千円ぐらいだということですわ。でも、敷金は別でしょうけれど」

「六千円じゃ、劇団の事務員さんには辛《つら》いでしょうね。だれかパトロンがいるのかしら」

駅の明るい灯が見えてきた。

前衛劇団の事務員、成瀬《なるせ》リエ子は、アパートの自分の部屋に帰った。

二階の奥まった部屋だった。ポケットから鍵《かぎ》を取り出してドアをあける。暗い中だったが、空気が自分の住居のものだった。越してきたばかりだが、やはり、外の空気とは違う。その空気に触れただけでほっとした。

六畳一間だが、新しいだけに便利に造られていた。リエ子はラジオのスイッチを入れた。隣室への気兼ねもあって、小さな声にした。音楽が鳴っている。

だれもいないところだから、ラジオだけでも声を聞くと、孤独感が多少救われた。

ここにあがってくるとき、郵便受けを見たのだがハガキ一枚はいっていなかった。

空腹を感じたので、トーストを焼いた。匂《にお》いが鼻に流れてくる。今までだれもいなかった部屋が急にあたたかく感じられた。小さいながら生活が始まったのである。沸《わ》かした紅茶でパンを食べた。それが終わって、しばらくぼんやりした。ラジオが音楽を流していたが、あまり好きなものではなかった。しかし、起きている間、ただ一つの声を消すのは寂しかった。

リエ子は机に向かってノートを出した。日記代わりにときどきつけている。スタンドに灯を入れたが、すぐには書けなかった。頰杖《ほおづえ》をついて動かなかった。

何か、考えがまとまりそうでいて、それがすぐに崩れてしまう。容易に文章にならなかった。考えている方が長かった。

廊下に足音が起こった。自分の部屋の前にとまったので、思わず目をあげると、ドアにノックが聞こえた。

返事をすると、それが細目にあいた。

「成瀬さん、お電話ですよ」

管理人のおばさんだった。

こんなに遅く、と眉《まゆ》をひそめたが、管理人の好意には笑顔を向けた。

「どうもすみません」

おばさんの後ろについて廊下を歩いた。電話機は階下の管理人の部屋にある。どの部屋のドアもしまり、スリッパが几帳面《きちようめん》に置かれてあった。灯を消した部屋が多い。

「すみません」

管理人の背中に礼を言った。

その部屋をあけると、管理人の主人がシャツ一枚になって新聞を読んでいた。リエ子はその人にも頭を下げた。

送受器は、はずしたままで置いてある。

「もしもし。成瀬でございます」

リエ子は送受器を耳に当てて小さな声を出した。

「はあ？　どなた？」

問い返していたが、先方の名前がわかってから、

「あら」

と言った。

しかし決して愉快な表情ではなかった。

「どういうご用事でしょうか？」

耳につけて先方の声を聞いていたが、

「だめですわ、それは困るんです」

と返事した。

そこに管理人がいるので、縮んだような遠慮した声だった。成瀬リエ子が聞いている相手の電話の声は男だった。管理人も遠慮していたが、すぐ近くだから、自然と彼女の声だけは耳にはいった。

「困ります」

成瀬リエ子はしきりと当惑していた。相手の男が何を言っているかよくわからないが、電話の様子では、何か申しこんでいるのを、断わっているふうにみえた。

彼女は、そこに他人がいるので、はっきり言えないらしい。自然と言葉は少なくなった。

電話はしきりと何か言っている。それに彼女が、

「いけません」

とか、

「困りますわ」

とか答えている。

電話は先方がついに諦《あきら》めたのか三分ぐらいで切れた。

「ありがとうございました」

彼女は管理人に礼を言って、その部屋から出た。

憂鬱《ゆううつ》な表情だった。同じアパートにいる若い男が廊下で擦《す》れ違ったとき、彼女の顔を覗《のぞ》くようにして通り過ぎた。このアパートでは、劇団の女優という噂が立っているせいか、好奇の眼で見られているようだ。

彼女は部屋に戻《もど》った。

浮かない顔でぼんやりした。

窓の外に夜が写っていた。遠くのネオンの灯がだいぶん消えている。そのあたりが新宿だった。

成瀬リエ子は、考えるように窓を見つづけていた。遠い灯の集まりが、にじんだように夜空の下に映《は》えている。星の少ない晩だった。

リエ子はカーテンをしめ、机の前に戻ってすわった。

ノートを広げた。ペンを握ったが、すぐに書くでもない。頬杖をついて、しばらく思案していた。

ペンが動いた。

考え考え書いた。一行書いては、その上から筋を引いて消したりした。

——愛とは孤独なものに運命づけられているのであろうか。

と書いていた。

——三年の間、わたしたちの愛はつづいた。けれども築き上げられたものは何もなかった。これからも、何もないままにつづけられるであろう。未来永劫《えいごう》にと彼は言う。その空疎さにわたしは、自分の指の間から砂がこぼれ落ちるような虚《むな》しさを味わう。絶望が、夜ごとのわたしの夢を鞭《むち》うつ。けれども、わたしは勇気を持たねばならない。彼を信じて生きねばならない。孤独な愛を守り通さねばならない。孤独を自分に言い聞かせ、その中に喜びを持たねばならない。自身の築いたはかないものに、自分でとりすがって生きねばならない。この愛は、いつもわたしに犠牲を要求する。そのことにわたしは殉教的な歓喜さえ持たねばならない。未来永劫に、と彼は言う。わたしの生きる限り、彼はそれをつづけさせるのであろうか。

——口笛が聞こえた。彼女はノートから顔を上げた。口笛は調子を持っていた。それは窓の外を往復した。彼女は立ちあがった。外も覗かないで電気を消した。

今西栄太郎は、妹を駅に送って、帰りかけた。

すると、ちょうど、駅のすぐ傍に夜店が並んでいた。そこは、駅から斜面の道路に沿って上がった所で、毎朝日雇い人夫が屯《たむろ》する所だった。近くに職安がある。夜店はそこに並んでいた。時間が遅いので、半分は片づけかけていた。そのなかには植木屋がいた。

今西は、それが目につくと、足を止めた。

「もう、およしなさいよ。庭に並べる所がないわ」

妻が横から止めたが、だまって通れないのが、彼の性分だ。

「見るだけだ。買いはしない」

今西は、妻をなだめて、植木の鉢《はち》を並べている前に立った。

客はほとんど散っていた。商人は、もうしまいかけだから、うんと安くしておきます、と今西を誘った。

今西は、植木鉢をひととおり見たが、幸い気に入ったものはなかった。足下には、木の葉や新聞紙などが散っていた。

今西は、そこからまた歩道に降りた。

腹が少し減った。すし屋があいていたので、

「すしでもつまもうか？」

と、妻に言った。

妻は、あいた入口の隙間《すきま》からちらりと店の奥をのぞいていたが、

「よしましょうよ」

と、浮かない声で答えた。

「ばかばかしいですわ。そんなことにお金を使うより、明日、何かご馳走《ちそう》しときましょう」

腹が空いているのは現在である。明日の馳走では間に合わない。しかし、今西は、妻の気持ちもわからないではなかったので、口をつぐんだ。何となく不服な顔になって路地を戻った。マグロの感触が思い出されたが、彼は我慢した。

路地は、店がほとんど戸をしめてしまったので、外灯だけの光になっていた。その光の中に、一人の男が口笛を吹きながら、ぶらぶら歩いていた。何かの歌らしく、口笛は旋律をもっていた。

ちょうど、最近できた、例のアパートの前あたりだった。

外灯の光で透《す》かして見ると、ベレー帽をかぶった男だった。夏だというのに、おしゃれなのか、真っ黒いシャツを着ている。

その男が、先ほどから、口笛を吹きながら、その辺をぶらぶらしていることがわかった。今西たちが近づくので、それに気づいたのか、口笛はやみ、その男は、顔を隠すようにして、暗い方へ何気ない格好で歩いた。

今西は、何となく、その男の方へ目を向けて通り過ぎた。

べつに怪しい男ではないが、職業的な習慣というか、自然と目が注意深くなるのである。

「お腹《なか》が空いてるんでしたら、家に帰ったらお茶漬《ちやづ》けでもしましょうか？」

すしを倹約した女房が横で言った。

「うん」

今西は、何となく不満で、口数をきかなかった。

星の少ない晩である。そのまま、路地の前を通りすぎた。

男は口笛を吹きつづけていたが、夫婦者が通りかかったのでやめた。

目の前にアパートの建物があった。男の目は、先ほどから灯《あかり》のついた窓にそそがれていたが、それも今は消えてしまった。

「お腹が空いてるんでしたら、家に帰ったらお茶漬けでもしましょうか？」

女房らしい声が言っていた。

その夫婦者が通り過ぎると、ベレー帽の男はいま灯の消えたばかりの窓に、また口笛を鳴らした。

暗い窓にはカーテンがひかれている。アパートの横は狭い路地で、一方は小さな家ばかりが並んでいた。

屋根の向こうに新宿あたりの明るい灯が、夜明け前のように白く輝いていた。

どこかで赤ン坊の泣き声がしていた。男は、わざと靴音を立てて、何度かその辺を往復した。

アパートの窓はあかなかった。

さっきの夫婦者が通り過ぎたあと、人通りが絶えていた。狭い路地に、この男だけがぶらぶらと歩いていた。

それからも二十分ぐらい、そうしていた。男は何度もアパートの窓を見上げたが、反応はなかった。

彼は諦めたらしく、ようやく、その路地から表通りに出た。

それまでにも、未練げに何度かアパートを振り返った。

彼は元気のない足取りで、駅の方に向かった。ときどき左右を眺《なが》めたのは、タクシーの空車を待つためだったが、あいにくと、それは見当たらなかった。何台かのタクシーを見送った。

彼の目は、通りの向かい側のすし屋に向かった。半分開いた入口には客の腰掛け姿が二三人見えた。彼は舗道を渡って、店の中にはいった。

若い男女の客が三人ほどすしをつまんでいたが、その中の一人がはいって来た彼の顔を見て、怪訝《けげん》そうな目つきをした。

彼はすしを注文した。

その横顔を、先客の女が、連れにささやいて、いっしょに眺めた。

ベレー帽の男は注文したすしを次々に食べていた。痩《や》せて彫《ほ》りの深い顔である。

すると、先客の女が、自分のポケットを探って手帳を取り出した。それから、にこにこと笑いながらベレー帽の男の横に近づいた。

「あの……」

と、遠慮深そうに言いかけた。

「もしや、前衛劇団の宮田邦郎《くにお》さんではありませんか？」

ベレー帽の男は、食べていたすしをごくりと奥にのみこんだ。

彼は一瞬に目を迷わせたが、その女の子の顔を見て、仕方なさそうにうなずいた。

「はあ、そうですが……」

「やっぱり、そうだったわ」

彼女は連れの男二人を振り返って笑顔をみせた。

「すみません、これにサインしてくださいな」

よれよれになった手帳を差し出した。男は、しぶしぶ万年筆を抜いて、自分の名前を慣れた手つきで署名した。

この男の顔だと、前に和賀英良の負傷を見舞いに劇作家の武辺豊一郎といっしょだった新劇の俳優であった。

第六章　方言分布

1

今西栄太郎は、蒲田操車場殺人事件の被害者の口から出た「東北弁」と「カメダ」のことがいつまでも忘れられなかった。

被害者の身もとはわかったが、最初、彼が考えていたような東北出身の人間ではなかった。意外にも、正反対の岡山県の在住者なのである。目撃者が東北弁と聞き違えたという懸念《けねん》もあったが、今西にはそうとは思えなかった。彼は「東北弁」に執拗《しつよう》に固執している。

――今西は岡山県の地図を買ってきた。被害者三木謙一は、岡山県の江見町の在だ。今西は地図の上でその町を中心に、目を皿《さら》のようにしてカメダを探した。

彼はまずカメという字を目標に図上の地名を拾った。カメ、カメと呟《つぶや》きながら目で探した。

すると「亀」が見つかったのだ。今西は、どきりとした。「亀甲」という文字が視野に飛びこんできたのだ。

亀甲は、岡山から津山《つやま》に至る津山線で津山の近くだった。「かめのこう」と読むらしい。

今西は考えた。

「亀田」と「亀甲」とは、字面《じづら》がたいそう似ている。「田」と「甲」の字である。

ところがあの蒲田の安バーの目撃者たちは、それを文字で読んだのではなく、耳から言葉を聞いたのである。「かめだ」と「かめのこう」とでは、語感がたいそうな違いだ。

ところで、もしや、その被害者と相手の二人が、亀甲という地名を亀田と読み違えて言っていたのではなかろうかという考え方もある。

が、それはあり得ないのだ。

今西は、この二人を亀田に縁故の深い人間と推定している。だから他郷の者なら別だが、「亀甲」を「亀田」と読むことは考えられないのである。

今西は、さらに地図の上で、岡山県全体を入念に探したが、「カメ」の字のつく地名はほかに一つもなかった。「亀甲」が偶然出てきたのは、今西のあせりを嘲笑《あざわら》うような自然のいたずらのようだった。

今西はがっかりした。

彼は地図をたたんで、家を出た。出勤の時間である。

朝の陽光が路地にすがすがしく当たっていた。

今西は例のアパートの前を通りかかって、昨夜この辺で会った、口笛を吹きながらうろついていたベレー帽の男のことを思い出した。が、それはちらりと頭をかすめただけで、すぐに捨てた。

国電は混んでいる。今西は後ろから押されて人の背中の間にはさまった。うっかりすると、片足で立たねばならない。人垣《ひとがき》で窓の外は全然見えなかった。彼は車内に吊《つ》ってあるポスターをぼんやり眺めていた。窓からはいってくる風で、ポスターは揺れていた。

ポスターは雑誌の広告だった。その中に「旅のデザイン」という文字が目についた。旅にもデザインがあるのかと思った。近ごろの広告は奇抜な題をつけるので、内容の見当がつかない。

今西は新宿駅でおりて地下鉄に乗り換えた。ここでも同じ広告が下がっている。このとき、今西の頭には、広告とは全然関係のない、ある考えがひらめいた。

今西は警視庁に出ると、すぐに広報課に行った。広報課長は今西のかつての上司だった。

広報課というのは、警視庁がその活動内容を一般に周知徹底させる目的を持っている、いわば警視庁のＰＲ課であった。

だから、ここではパンフレットを発行したりするので、参考資料として、いろいろな本が集まっている。

「よう、珍しいな」

広報課長は、今西がおじぎするのに笑いかけた。

「君がこんなところに現われようとは思わなかった」

そこまで言いかけて、

「あ、そうだ。何か俳句の本でも探しにきたのかね？」

と、冗談を言った。

課長は、捜査係長時代の部下だった今西が、俳句をやっていることを知っている。

「いえ、そうではありません。ちょっとおうかがいに来たのです」

今西は少し堅くなって答えた。

まあ掛けたまえ、と課長は今西を横の椅子《いす》にすわらせた。それから煙草《たばこ》を取り出し、今西にも一本すすめて自分でもすった。

朝の澄明《ちょうめい》な空気の中に、二本の青い煙が流れる。

「何だね？」

課長は今西に目を向けた。

「はあ、ほかでもありませんが、課長さんは物知りですから、うかがってみたいと思って、来たのです」

「物知りでもないがね」

課長は含み笑いをした。

「ぼくの知っていることだったら、言ってあげられるかもしれない」

「東北弁のことです」

今西は切り出した。

「なに、東北弁？」

課長は頭を掻《か》いた。

「あいにくと、ぼくは九州生まれだからな。東北弁には弱い」

「いや、そういうことではありません。東北弁を使っているのは、東北以外に、日本のどこかにないかということです」

「さあ」

課長は頭をかしげた。

「君の言う意味は、個人的なことではなく、土地としてのことだね。つまり、東北出身者がよそに行って話しているという意味ではなく、その土地全体の人がそれを使っているという意味だろう？」

「そうなんです」

「さあ、それはどうかな」

課長は煙草をくゆらせていたが、顔は否定的だった。

「それは、ちょっと、考えられないだろう」

彼は考えた末に言った。

「東北弁は、あの地方特有のものだからね。福島、山形、秋田、青森、岩手、宮城、この六県以外にはないだろう。もっとも、群馬や茨城の北の方、つまり、福島寄りに近い方は、その影響を受けているると思うけれどね」

「そうすると、それ以外の地方では、そういう方言を使わないんでしょうか？」

「さあ、それは考えられないね」

物知りの広報課長は目をまたたいた。

「いったい、方言の分布というのは決まっているんだろう。北からいえば東北、関東、関西、中国、四国、九州、それぞれ大まかに分かれていると思うな。だから、君が質問するように、東北弁が、たとえば四国の一部にあるとか、九州の一部で使われているというようなことは、考えられないんじゃないかね」

今西はその返事で落胆した。しかし、それは彼の考えていることと同じ意見だった。

すると広報課長は、気づいたように、

「いいものがあるよ」

と言って立ちあがり、後ろの書棚《しよだな》から大きな厚い本を抱えてきた。それは百科事典の中の一冊だった。広報課長は、それを、どっこいしょ、といって机の上に置き、自分でページを繰っていたが、ある場所を見つけると、先にざっと目を通した。

「君、ここんところを読んでみたまえ」

と、それを今西に差し出した。彼は、その部分を読みはじめた。ぎっしり組まれた活字である。

「明治時代以後では、まず大島正健《おおしままさたけ》が発音の部面からみた裏日本・東日本・西日本の三分説を唱えて注目をひき、ついで文部省の『語法調査報告書』が大規模な調査にもとづき、語法をもとにして東日本・西日本・九州の三分説を出して一時期を画した。現在最も権威あるものとされているのは以上の説を総合した東条操《とうじようみさお》の提出した説で、はじめて世に問うた『国語の方言区画』以来幾度か修正が加えられているが、その最新のものは『日本方言学』にみえるもので、次のように区画するものである。

東部方言〔北海道方言・東北方言（越後《えちご》北部を加える）・関東方言（山梨県郡内地方を含む）・東海東山方言（越後南部を加える）・八丈島方言

西部方言｛北陸方言・近畿方言（若狭《わかさ》地方を加える）・中国方言（但馬《たじま》・丹後《たんご》地方を加える）・雲伯方言・四国方言

九州方言｛豊日方言
　　　　　肥筑方言・薩隅《さつぐう》方言

これに対する異説としては、都竹通年雄《つづくつねお》のもの、奥村三雄《おくむらみつお》のものが注目される。

都竹の説は全体を東日本・西日本・九州と分ける点は東条と一致するが、東部は、東海東山のうち静岡・山梨・長野三県だけを含め愛知・岐阜を西日本の方に入れる。また東部方言では、東北方言を北奥羽方言と南奥羽方言に分けて、北海道方言は北奥羽方言に入れ、栃木・茨城方言は関東の方言の内から除いて東北方言にくり入れ、越後方言を東部方言のうちの一つとして立てる。西部方言は、だいたい、東条のとおりであるが、近畿方言から十津川《とつがわ》・熊野《くまの》方言を分離独立させる。

奥村の説では、まず西部方言と九州方言とを摂して一類とし、日本語全体を東日本方言と西日本方言の二対立とする。東日本方言は東条の東部方言とほぼ一致させ、奥羽・関東北部（茨城・栃木）・越後東北部方言と関東大部・東海東山方言に二分する。この場合、八丈島方言は後者の方に入れる。次に西日本方言は九州方言と関西方言に二分し、この場合、九州東北部方言（福岡東部・大分）は後者の方にくり入れる。

……関西方言は、これを近畿・四国・北陸各方言の大部と中国・丹後・但馬および四国西南部・九州東北部の方言とに二分する。

これらの見方の中でどれがすぐれているかは、方言の研究が、もっと進んでから決定されてくる問題である。現在のところ、方言の諸部面のうち、最も研究の進んでいるのはアクセントの分野である。服部四郎《はっとりしろう》、平山輝男《ひらやまてるお》らの熱心な研究家の手によって、ほぼ全国の各市町村のアクセントのだいたいの性格は見当がつけられており、相互の近親関係もほぼ見通しがついている。全国の方言は東京語に似たもの、京都・大阪語に似たもの、それ以外の型の区別をもつもの（たとえば、九州西南部に分布するもの）、型の区別をもたない方言に分けられ、その分布状態はなかなか複雑である」

今西栄太郎は以上のことを読んで顔を上げた。

この百科事典の記事は、少しも彼に役立たなかった。自分が漠然《ばくぜん》と考えていたことをこの解説は科学的に権威づけて説明してあるにすぎなかった。

結局、これらからは、今西の思うような新発見はなかった。望みは断たれた。

「どうだったね？」

広報課長は、今西のがっかりした顔を見て言った。

「はあ、よくわかりました」

今西は頭を下げて答えた。

「何だか浮かない顔だな。満足できなかったのかい？」

「そういうわけではありませんが、自分の考えているような何か手がかりがないかと思って、方言のことを確かめたかったのです」

「君が満足するのは、東北弁がよその地域にも使われているという事実のあることだな？」

「そうです」

今西はうなずいた。

「しかし、よくわかりました。これを読んでも、そんな事実のないことが納得できました」

「待ってくれ」

と、広報課長は何か思いついたような顔をした。

「この事典は概略のことしかのっていないからな。そうだね、もっと詳しい専門書を見た方がいいかもしれないね。その中に、君の求めているものがあるかもしれないよ」

「そんな専門書を読んでもわかるでしょうか？」

今西栄太郎は、そんな本を読まない先からうんざりした。概略だというこの百科事典の記事だって、相当、やっかいである。それが専門書となると、もっと面倒で、気が重い。

「いろいろな本が出ているから、どれをとるかだろうがね。簡単に、端的にわかる本があるといいのだがな」

広報課長は机の端を指で叩《たた》いていたが、

「そうだ、ぼくの大学時代の同期生が文部省の技官になっている。こいつが国語の方をやっているはずだから、もしかすると、そいつに聞けばわかるかもしれん。いま電話をかけよう」

広報課長は、今西があまり熱心なので、気の毒になったのか、そういうはからいをしてくれた。

課長は電話を掛けて先方と話していたが、それが切れると今西に顔を向けた。

「奴が言うのには、自分のところに来てみてくれ、直接に話を聞きたいそうだ。どうだね、紹介してあげるが、行ってみるかね?」

「はあ、参ります」

今西は即座に答えた。

今西栄太郎は、都電で一ツ橋に降りた。

暑い盛りを濠端《ほりばた》の方に歩くと、古びた白い建物があった。小さな建物である。「国立国語研究所」の看板がかかっている。

受付に名刺を通すと、四十年輩の男が階段を降りてきた。

「今、電話をもらいましたよ」

と、彼は今西の名刺を見ると言った。

「何か方言のことでおききになりたいんだそうですね」

これが広報課長と同窓だったという文部技官桑原《くわはら》だった。痩《や》せた、眼鏡を掛けた男である。

「どういうことをおききになりたいんですか?」

応接間ともつかず、会議室ともつかない所に、今西を引き入れて、桑原技官はきいた。

今西は、広報課長にきいたのと同じことを、ここでも質問した。

「東北弁が東北以外の地域で使われていないか、というわけですね」

桑原技官は、眼鏡に青空を半分映して言った。

「そうです。もし、そういう地域があったら、と思いまして伺いに参りました」

「さあ、どうでしょうか」

専門家は、頭を傾けた。

「そういう所はあまり聞きませんね。東北出身者がよその土地に移住して、そこで東北弁が使われているという例はないでもないですね。たとえば、北海道の開拓地で一村が移住したために、現在でも東北弁が使われているという所はあります。けれども、内地では、そういう所はないんじゃないですか」

桑原技官は、おとなしい声で説明した。

「そうですか」

今西は、最後の望みが切れたと思った。

「いったい、どういうことをお調べになるんですか？　あなた方のことですから、何か事件に関係のあることでしょう？」

桑原技官はきいた。

「はい。実は、こういう事件があって、それでおたずねしているわけですが」

今西は、ここで事件のあらましを述べて、蒲田の安バーで話されていたという東北弁のことを説明した。

技官は、しばらく考えていたが、

「それは、はっきり、東北弁だったでしょうか?」

ときいた。

「目撃者といいますか、横でそれを耳にしていた人の話では、東北弁らしいと言うんです。短い会話ですから、正確には実際かどうかわかりませんが、五人の人間がみんな、東北弁らしかったと述べているんです」

「そうですか。それは、東北から来た人が、そのバーで話していたのじゃないですか?」

技官は、当然の質問をした。

「一時は、そういう場合も考えました。しかし、それからいろいろ調べてみると、どうも東北ではないような気がしてきたのです。実際、その二人の中の一人が被害者だったのですが、その身もとが割れてみると、その人は東北でも何でもなく、逆に岡山県の人間だったのです」

「なに、岡山県?」

技官は、ひとりごとをつぶやいた。

「岡山県で、東北弁に似た言葉は使われないがな」

やや考えていたが、

「待ってくださいよ」

と立ちあがった。

桑原技官は戸棚の方に歩いて、その中の一冊を引き抜いた。

彼は、そこで、しばらく立読みをしていたが、今西のところに戻ってきたときの顔はひどく嬉《うれ》しそうだった。

「これは、中国地方の方言のことを書いた本ですがね」

技官は厚い本を今西の方に見せた。

「あなたは、岡山県とおっしゃったのですが、これには岡山県ではないが、ちょっと、おもしろいことがのっているのです。さあ、ここを読んでみてごらんなさい」

今西は技官の表情から、彼が何かを発見したことを直感した。それでさされた文字を期待をもって読んだ。

「中国方言とは、山陽《さんよう》・山陰《さんいん》両道のうち岡山・広島・山口・鳥取・島根の五県の方言を総称するものである。この方言を更に二区に分ける。一は出雲《いずも》・隠岐《おき》と伯耆《ほうき》との三国の方言で、これを雲伯方言と名づけ、その他の地方に行なわれる方言を、かりに中国本部方言と名づけたい。もっとも因幡《いなば》の方言は山陽道諸国の方言と相違する点もあるが、便宜上、岡山・広島・山口諸県と、石見《いわみ》・因幡両国の方言を一括して考えることとする。

その出雲一国も細別すれば際限がないが、飯石《いいし》郡の南部のごときは全く中国系で出雲方言でないのに、石見の安濃《あんの》郡(昭・29郡名消滅、現在の大田市付近)のごときはかえって出雲系である。伯耆では東伯《とうはく》郡はむしろ因幡に近く、西伯《さいはく》・日野《ひの》両郡が出雲系であるといって大過はない。

出雲の音韻《おんいん》が東北方言のものに類似していることは古来有名である。たとえば「ハ」行唇音《しんおん》の存在すること、「イエ」「シス」「チツ」の音の曖昧《あいまい》なること、「クゥ」音の存在すること、「シェ」音の優勢なることなどを数えることができる。ために学者間には、この両地方の音韻現象の類似を説明せんとして種々な仮説も主張されている。たとえば日本海沿岸一帯がもと同一な音韻状態を保持していたところに、京都の方言が進出して、これを中断したと見るごときもその一説である……」

今西は、ここまで読んできて、胸が高鳴った。

東北弁を使うところはほかにもあった。しかも、東北地方とは全然逆の中国地方の北側である。

「こういうのもありますよ」

と、桑原技官はもう一冊の本を出してきてくれた。

『出雲国奥地における方言の研究』というのだった。

「出雲は越後並びに東北地方と同じように、ズーズー弁が使われている。世にこれを『出雲弁』と出雲訛《なま》りあるいはズーズー弁と称《とな》えられてわからない発音として軽《けい》蔑《べつ》されている。このズーズー弁の原因について、次のような諸説がある。

(一) ズーズー弁は日本の古代音であるという説——日本古代の音韻はズーズー弁であったという。すなわち、古代には日本全国これを用いていたが、都会に軽快な語音が発達し広がるにしたがい、ズーズー弁の区域は逐次減少し、残された区域が出雲・越後・奥羽地方の辺鄙《へんぴ》な所のみになった。

(二) 地形並びに天候気象によるという説——出雲地方は僻地《へきち》で結婚も近親のみでほとんど行なわれ、部落ごとに通ずる言葉だけで事が足り不明瞭《ふめいりよう》に話してもよいという習慣が蓄積された。あるいは降雨多く晴天に恵まれないため、人びとの活気を失いかつ冬季西風強く口を開くのをきらったのが、ズーズー発音の素因をなしている」

今西はこれを二度ゆっくり読み返した。

東北と同じ言葉が出雲の奥地に使われている——。今西はその論文めいた文章を頭の中に叩きこんだ。

すると、桑原技官は、いつのまにか、もう一冊の本を探し出してくれた。

それは、東条操編『日本方言地図』というのだった。

「これをみても、その説明がわかりますね」

技官は指を当てた。それは日本各地の方言区域が赤・青・黄・紫・緑などに分けられて、塗られてあるのだが、東北地方は黄色になっていた。中国地方は青色になっている。ところが、中国地方の中でも、出雲の一部分だけが東北と同じ黄色になっているのだった。つまり、出雲の一部分だけがぽつんと東北と同じ色になって、青色の中に点のように落ちているのだ。

そのほかの地方に、東北と同じ黄色はどこにもなかった。

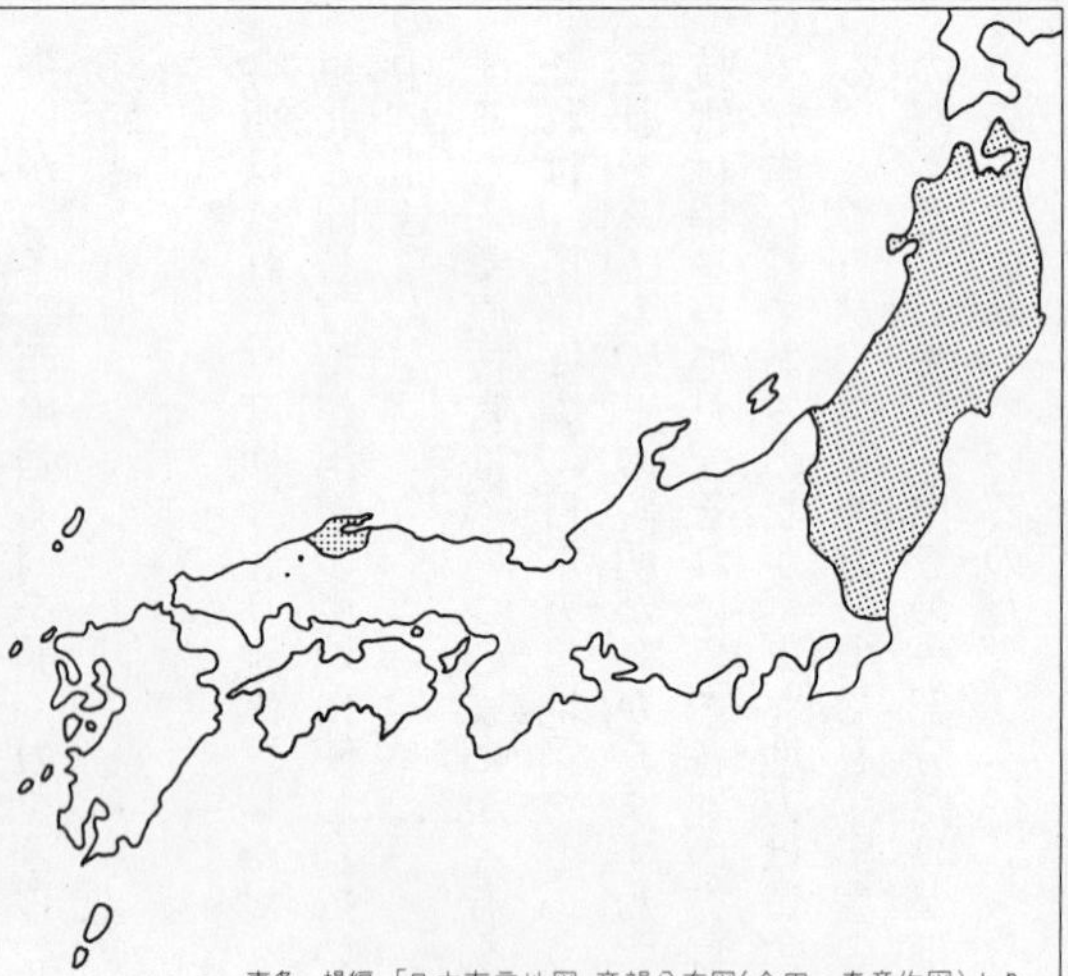

東条　操編「日本方言地図」音韻分布図（金田一春彦作図）より

「ふしぎですね」

と、今西は太い息を吐いて言った。

「出雲のこんなところに、東北と同じズーズー弁が使われていようとは思われませんでした」

今西はうれしさを押さえて言った。

「そうですね。ぼくも実はこれで初めて知ったんです。あなたの質問で、ぼく自身が教えられたようなもんですね」

技官は笑っていた。

「どうもありがとうございました」

今西はていねいに礼を述べて立

ちあがった。

「お役に立ちましたか？」

「たいへん参考になりました。どうもお世話になりました」

今西は技官に送られて国語研究所を出た。ここまで来たかいはあったのだ。いや、期待以上の収穫だった。

今西の心はおどっていた。被害者「三木謙一」は岡山県の人間である。出雲とは隣合わせの国だ。

今西は都電に乗る前に、近くの本屋に寄って、島根県の地図を求めた。

彼は本庁に帰るのも間遠しく、本屋のすぐ隣の喫茶店に飛びこんだ。ほしくもないアイスクリームを頼んで、地図をテーブルの上に広げた。今度は、出雲から「亀」の字を探すのである。

地図には、虫がはうような字が一面に埋まっている。

それをいちいち読んでいくのは、ようやく老眼になりかけた今西の目には骨だった。窓際《まどぎわ》に寄って、小さな字を一つ一つ目で拾っていった。

彼は右端から順序を立てて丹念に捜索した。

すると、途中で、思わず息をのんだ。

「亀嵩」とあるではないか。

「かめだか」と読むのであろうか。

今西は瞬間ぼんやりした。あんまり造作なく期待どおりのものがすぐ出てきたのである。

この亀嵩の位置は、鳥取県の米子《よなご》から西の方に向かって宍道《しんじ》という駅がある。そこから支線で木次《きすき》線というのが、南の中国山脈の方に向かって走っているのだが、「亀嵩」はその宍道から数えて十番目の駅だった。

亀嵩の地形はまさに出雲の奥地である。たった今、国語研究所で見せてもらった資料のズーズー弁の使われている地方のどまん中だった。

地図の上からみると、亀嵩は中国山脈にその背面をさえぎられ、東西は山地に挟《はさ》まれ、わずかに宍道方面に平地がひらいている狭隘《きょうあい》な地域であった。

亀嵩は「かめだか」と読むのであろう。「かめだ」と「かめだか」、よく似ている。最後の「か」は、語尾が不明瞭のため、目撃者の耳に届かなかったと思われる。

出雲弁と、「かめだか」の地名――。しかも、被害者三木謙一の住んでいた岡山県のすぐ隣県である。条件は揃《そろ》っていた。

今西は、ここで被害者の養子の言葉を思い出さずにはいられなかった。

「養父《ちち》は巡査をしていたことがあるそうです」

それなら、三木謙一は島根県で巡査を奉職していたのではなかろうか。今西は胸の動悸《どうき》をおさえることができなかった。今度こそはホンモノである。彼は自分の体じゅうに気力がみなぎってくるのを覚えた。

本庁に帰るまでの電車の中で、彼はこの発見のことばかりが頭の中を占めた。せまい車内はひどく混んでいたが、あたりの話し声が耳にはいらなかった。

警視庁に帰ると、彼はすぐに係長のところにまっすぐに進んだ。

彼は係長に地図を見せ、自分の手帳に控えた方言の参考書の文句を見ながら、詳細に説明した。

「それは、たいそうなものを見つけたもんだね」

係長も目を輝かした。

「君の考えているとおりだと思う。で、これからどうする？」

「私の考えでは」

と、今西は自分を無理に落ち着かせて言った。

「被害者の三木謙一は、岡山県の江見で雑貨商をするまえに巡査をしていたと、養子が言っていました。私の推定では、この被害者は、あるいは、巡査時代には島根県の駐在所まわりだったと思いますから、この亀嵩にも一時期いたのではないかと考えます。謙一とあの安バーで出会った男は、その時期に知りあった人物ではないかと想像されますね。つまり、相手の男はかつて亀嵩に住んでいたことのある人間だと思うのです」

係長は大きな息を吸いこんだ。

「そうかもしれない」

と、彼は言った。

「よろしい、それでは、さっそく、島根県の県警に、三木謙一なる人物が巡査として奉職していたかどうかを、照会してみよう。その方が先決だね」

「ぜひ、そうお願いいたします」

今西は頭を下げて、心から頼んだ。

「古い話だね」

と、係長は呟《つぶや》いた。

「被害者が巡査をしたのは、もう二十年も前だろう。そのころの因縁が今度の事件の原因になっているのかな」

「その辺はまだよくわかりませんが、何か彼の巡査時代にこの事件の鍵《かぎ》があるのかもしれませんよ」

「よろしい。古いことだから県警でも調べるのに手間がかかるだろう。警察電話でなく文書の上で照会する。ぼくは、これから課長のところに行って話してみるよ」

2

島根県警からの回答は三日後に届いた。この朝、今西が本庁に出ると、係長がさっそくそれをみせてくれた。

「君、吉報だぞ」

係長は今西の肩を叩くようにした。

今西は急いでそれに目を走らせた。

「警捜一　第六二六号　貴照会の件についてご回答申しあげます。

三木謙一について当方で調査した結果、同人は昭和三年より十三年まで島根県警察部巡査に奉職していることが判明いたしました。すなわち、同人の所属については左記のとおりであります。

昭和三年二月島根県巡査を拝命、松江《まつえ》署に配属。四年六月大原《おおはら》郡木次《きすき》署に転属、

八年一月巡査部長に昇任、同三月仁多《にた》郡仁多町三成《みなり》署に配属され、同町亀嵩《かめだけ》巡査駐在所詰めとなる。十一年警部補に昇任、三成警察署警備係長となり、十三年十二月一日依願退職となる。

右のとおり調査の結果ご報告いたします」

今西栄太郎は思わず溜息《ためいき》が出た。

「君が思ったとおりだね？」

係長は横から言った。

「やっぱり、被害者は長い間、出雲の奥地で巡査を勤めていたんだよ」

「そうですね」

今西は半分夢をみるようだった。今度こそ間違いはなかった。はじめて暗い迷路から出てきて、目の前がにわかに開けた感じだった。

今西はさっそくポケットから地図を取り出した。

木次署といい、三成署といい、いずれも亀嵩の近くで同じ出雲の奥地である。つまり、東北弁に似たズーズー弁の出雲弁が使われている地域なのだ。

被害者三木謙一は、この地方で十年間巡査として暮らしていたのである。

被害者三木謙一がこの土地の訛《なま》りを使っていたのは、ふしぎでも不自然でもなかった。

なお公文書には、亀嵩を「かめだけ」と注をしている。亀嵩は「かめだか」ではなく「かめだけ」と読むのだ。

目撃者が聞いた「かめだ」は実際は「かめだけ」と言ったのであろう。研究所で読んだ資料にも、この地方の人は語尾がはっきりしない、とある。

今西栄太郎は電話で吉村を呼び出した。

「君に、ちょっと話したいことがある。今夜帰りに会ってくれないか？」

今西は明るい声で言った。

「わかりました。どこで会いましょう？」

「そうだね。やっぱりこの前のおでん屋にしようか？」

「わかりました。なにか耳よりなことがあったのですか？」

と、今西は電話で思わず笑った。

「ちょっとね」

「会ってから話すよ」

六時半に二人は渋谷駅で落ちあった。

「いったい、何ですか？」

吉村は今西の顔を見るなりきいた。

「まあ、だんだん話すよ」

今西自身も嬉《うれ》しかった。この発見を今まで苦労した吉村にぜひ話してやりたい。彼は笑うまいとしても、自然に微笑が出た。

「何だか嬉しそうですね？」

吉村はコップを抱えて今西に言った。

「実はね、被害者と東北弁の関係がトレたんだ。そればかりではない。カメダも出てきたよ」

「え、ほんとですか？」

吉村は目を丸くした。

「ぜひ早くそれを聞かせてください」

ここで今西は、国語研究所で教えてもらった資料に基づく東北弁の方言分布のことを披露《ひろう》した。

それから、わざわざ持ってきた地図を吉村の前に広げて「亀嵩」の地点を見せた。

「君、ここなんだよ。よく字を見てくれ」

彼は指で地図の上に輪を書いた。

「ほれ、この地域一帯がいま言った東北弁のズーズー弁を使うのだよ。ぼくらは錯覚していた。あの蒲田の安バーで話していた二人は、この地方の人間なんだ」

今西の言葉に力があった。

「それを目撃者が、てっきり東北弁と思いこんでしまったんだね。それに被害者の三木謙一は島根県で巡査をしていたことがある。しかもだよ」

今西はもっと口調を強めた。

「彼は、この亀嵩を中心に十年間も巡査として奉職していたんだからね」

吉村は若い瞳《ひとみ》をじっと据《す》えて、今西の説明に聞き入っていたが、やがて先輩の手を握った。

「すばらしい」

彼は叫んだ。

「すばらしいですよ、今西さん」

「君もそう思うか？」

今西は持ったコップを置いて、吉村の手を握った。

「今度、ぼくはこの地方に行ってくるよ。君もつれていきたいんだけれど、ホシを探しにいくときと違って、こういう調べだからね」

「ぼくも行きたいな。でも、仕方がありませんよ。今西さんの吉報を待っています。しかし、うまくいきましたね」

吉村の声が弾《はず》んでいた。

「うん、しかしな、これからが大変だよ」

今西は大きな息を吸いこんだ。

3

今西栄太郎は、東京発下り急行「出雲《いずも》」に乗った。二十二時三十分発である。

いつもはだれかといっしょだったが、今度はひとり旅である。張込みやホシを受けとりに行くのではないので、気が楽だった。だから、というわけでもないが、女房が駅まで送ってくれた。

「向こうには何時ごろ着きますの？」

妻の芳子《よしこ》はホームを歩きながらきいた。

「明日の夜、八時ごろだろうな」

「まあ、二十時間以上ね。ずいぶん遠いのね」

「ああ、遠い、遠い」

「大変だわ、そんなに汽車に乗りつづけてお気の毒ね」

妻は同情した。

「今西さん」

このとき、後ろから声を掛けられた。

振り向くと、顔見知りのS新聞社の若い記者だった。

「どちらへ？」

新聞記者は、今西刑事が汽車に乗ると知って、意味ありげに目を光らせた。

「ああ、大阪までだ」

今西は何気ないふりで答えた。

「大阪ですって、何です？」

新聞記者は顔色を動かした。

「親戚《しんせき》に結婚式があってね、どうしても行かなくてはならない、ほれ、このとおり女房が見送りに来ている」

新聞記者は今西の妻を認めて、あわてて頭を下げた。その代わり今西の言いわけを信じた。

「ぼくは、また何かホシでもつかまえに行くのかと思いましたよ」

新聞記者は笑った。

「刑事がハコ乗りすると、君たちはいつもそうカングるんだね、人間だからね、ときに私用だってあるよ」

「そうですね、行ってらっしゃい」

新聞記者は手をあげ、ホームを歩いて過ぎた。

「油断がならないのね」

芳子が言った。

「今晩はおれ一人だからまだよかったんだ。これがこの前のように、吉村といっしょだってみろ、面倒なことになる」

今西は渋い顔で言った。実は、この前秋田に行った時も新聞記者に会っている。

汽車がホームを離れるとき、妻は手を振った。今西も窓から首を出してそれに応《こた》えた。いつもと違って、本当に旅に出るという気持ちが起こった。

座席は空《す》いていた。今西は芳子が買ってくれたポケット瓶《びん》のウィスキーを取り出して、二三杯飲んだ。

前に子供連れの中年女がいたが、もう、居ぎたなく後ろに寄りかかって眠っている。今西もしばらく新聞などを見ていたが、そのうちに眠くなってきた。肱《ひじ》かけをしばらく枕《まくら》にしていたが、後頭部が痛くなった。座席に横たわって腕を組んだ。彼は横にだれも居ないので、座席に横たわって腕を組んだ。体の向きを換えたが窮屈である。国鉄の二等車は、客を楽に眠らせないような仕掛けになっている。

それでも、いつのまにか、彼は睡眠の中にはいっていった。

夢の中で名古屋という駅名の連呼を聞いた。

無意識のうちに、また体が痛くなったので再度、向きを換えた。

今西栄太郎は七時半に目が覚めた。米原《まいばら》を過ぎていた。

窓からのぞくと、朝の陽《ひ》が広い田畑に当たっている。畑の果てに、水がちらちら光って見え隠れした。琵琶湖《びわこ》だった。

ここに来るのも何年かぶりだ。前に、大阪までホシを受けとりに行ったことがある。旅行していると、記憶がことごとくそんな仕事にばかり引っかかる。

あの時のホシは、強盗殺人犯で、大阪に逃げていたのを受けとりに行ったのだ。二十二三のまだ子供みたいな顔をした男だった。

京都で弁当を買って朝飯をすませた。

昨夜、妙な格好で寝たせいか、頸筋《くびすじ》が痛い。今西は、自分の頸を摘《つ》まんだり、肩を叩いたりした。

それからが長い旅だった。京都を過ぎて福知山《ふくちやま》に出るまで、山の中ばかりで退屈だった。

豊岡《とよおか》で昼飯を食べた。一時十一分だった。

鳥取《とっとり》二時五十二分、米子《よなご》四時三十六分。大山《だいせん》が左手の窓に見えた。

安来《やすぎ》四時五十一分、松江五時十一分。

今西栄太郎は、松江駅に降りた。

このまま亀嵩《かめだけ》まで行くと、三時間以上かかる。そこまで行っても、すでに警察署は係りが帰ってしまっている。今日のうちに足をのばしても、むだだった。

今西は、松江は初めてだ。駅前の旅館に泊まり、安い部屋に通してもらった。刑事の出張旅費は少ない。贅沢《ぜいたく》はできないのである。

夕食を食べて、街《まち》に出た。

長い橋がある。宍道湖《しんじこ》が夜の中にひろがっていた。湖岸には、寂しい灯が取り巻いている。橋のすぐ下から、灯のついたボートが出ていた。

初めての土地に来て、いきなり夜の水の景色を眺めるのは旅愁を覚える。

今西は、疲れていた。

昨夜は、寝苦しいところで十分な睡眠もできなかったし、今日は、それからずっと乗りつづけてきたので、体が痛かった。

今西は、すぐ宿に帰り、按摩《あんま》さんを呼んでもらった。刑事の出張旅費では按摩は贅沢だが、奮発した。

若い時は、どんな無理をしても、こんなことはなかったが、やはり年だった。

按摩は三十ぐらいの男だったが、今西は、料金を前渡しして、

「揉《も》んでもらってるうちに、眠るかもしれないからね。眠ったら、いい加減にして帰ってもらってもいいよ」

布団《ふとん》の上に手足を伸ばして揉まれていると、実際に眠けがさしてきた。疲れているのだ。

按摩は何か話しかけていたが、それにいい加減な相槌《あいづち》を打っているうちに、自分ながらその返事がおかしな声になってきた。今西は、そのまま深い眠りの中に落ちた。

一度目が覚めたのは、四時ごろだった。枕もとに薄い灯がついている。

今西は腹ばいながら煙草《たばこ》をすい、それから手帳を出して思案した。

俳句を考えているうちに、また眠ってしまった。

今西栄太郎は、宍道から木次《きすき》線に乗り換えた。

時代おくれの旧式の列車かと思っていたが、ディーゼルカーなのであんがい新しい感じがした。しかし、その先の景色は今西がぼんやり予想したとおりだった。山がせまり、田が少ない。川が始終見えかくれしていた。

ディーゼルカーの乗客は、ほとんど土地の人だった。今西はその人たちの話している言葉に耳を傾けたが、確かにアクセントが違う。尻上《しりあ》がりな調子が耳についた。しかし期待したほど強いズーズー弁は聞かれなかった。

夏の強い陽が、山の茂みを白く乾かしている。途中でいくつもの駅を過ぎたが、人家は駅のあたりにかたまっているだけだった。すぐに山の間にはいるのである。

出雲三成《みなり》の駅におりた。

ここは仁多《にた》郡仁多町で、亀嵩はこの三成警察署の管内になっていて、そこには派出所があるだけだった。だから、まず、三成警察署に行く必要があった。

駅は小さかった。だが、仁多の町はこの地方の中心らしく、商店街も並んでいた。

駅前のゆるやかな坂をくだると、その商店街にはいるのだが、眠ったような店先には、電気器具や、雑貨や、呉服物などがあった。「銘酒、八千代」の看板が目につくのは、たぶん、この辺で醸造される酒なのであろう。

橋を渡った。

　家並みはまだ続いている。瓦《かわら》屋根もあったが、檜《ひ》皮葺《わだぶき》の屋根があんがい多い。郵便局を過ぎ、小学校を過ぎると、三成警察署の前に出た。建物は、この田舎とは思われないくらい立派だった。東京の武蔵野《むさしの》署や立川《たちかわ》署ぐらいの大きさだった。白いこの建物を背景にして、やはり山が迫っている。

　署内にはいると、内には、たった五人しかすわっていなかった。今西が、受付にいる制服の巡査に名刺を出すと、奥にすわっていた開衿《かいきん》シャツの肥えた男が自分から立ちあがってきた。

「警視庁の方ですね？」

　にこにこ笑っていた。

「私が署長です。さあ、どうぞ」

　一番奥にある署長の机の前に案内された。

　今西はそこで挨拶《あいさつ》した。まだ、四十歳ぐらいにしかみえない太った署長は、遠路はるばるやってきた今西の労をねぎらった。

「お話は県警の方からきいていますよ」

　署長は引出しの中から書類を出した。

「三木謙一さんのことで、お調べにお見えになったんですね？」

今西はうなずいて言った。

「そうです。署長さんもだいたいはご承知だろうと思いますが、その三木謙一さんという人は、東京で殺されたのです。私どもはその捜査にかかっているわけですが、だんだん調べてみると、三木さんはこの三成署に警察官として奉職していたということがわかりました。そこで一応、こちらにいたころの三木さんのことをききに参ったわけです」

署員が茶をくんで出した。

「古い話ですな」

署長は言った。

「もう二十年も前になりますので、署員のなかで三木さんのことを知った人はいないのですよ。しかし、できるだけ聞いておきました」

「お忙しいところをすみません」

今西栄太郎は頭を下げた。

「いや、それが、あまり詳しいことはわかりません。いま言ったように、ずいぶん、古いことですからな」

署長は説明に移った。

「お役に立つかどうかわかりませんが、ひととおりのことを言いましょう。三木謙一さんは、昭和四年六月に木次署に転属、八年三月にこの三成署に来られて、亀嵩駐在所に勤務されていました。このときはもう巡査部長になっておられましたがね。十一年には警部補に昇任されて、ここの警備係長になり、十三年に退職されました」

それは、今西が東京を発《た》つ前に、島根県警の回答で知ったことだ。

「署長さん」

と、今西は言った。

「その略歴のことで、私は感じたのですが、三木さんは昇進がひどく早いようですね」

「そうです。ちょっと珍しいかもしれませんね」

署長もうなずいた。

「というのは、三木さんは仕事にも熱心でしたが、人柄《ひとがら》がたいへん良かったというか、いろいろ善行をされているのです」

「ははあ」

「たとえば、この三成署に来られてからも、表彰を二度も受けておられます。ここに控えがございますから、それによって読みますと」

署長は書類に目を落とした。

「まず、第一回目は、この辺に水害がありましてね、今でいう何号台風でしょうか、そのために川が氾濫《はんらん》しました。そうそう、あなたもここに来られる途中でごらんになったでしょうが、あれが斐伊川《ひいがわ》というのです」

今西は、渡ってきた橋の下を流れている川を思い出した。

「あの川が氾濫し、それに崖《がけ》くずれがありましてね、相当な死傷者が出たわけです。そのとき、三木さんは救護に活躍されて、三人も救っておられます。一つは川に流されている子供を助け、あとは崖くずれのために家が潰《つぶ》れたのを挺身《ていしん》して中にはいり、年寄りと子供とを二人助け出されております」

今西はメモをした。

「もう一つは、この辺一帯に火事がありましてね。このときも、三木さんは身を挺して火の燃える家屋に飛びこみ、赤ン坊を救い出しました。これは、いったん逃げた母親が火の中に引き返そうとするのを、三木さんが止めて炎の中から助け出してきたのです。これも県の警察部長から感謝状をもらっておられます」

「なるほど」

今西はそれもメモした。

「たいへん評判のいい人ですし、そのほか三木さんのことを憶《おぼ》えている人は、みんなあの人をほめますね。あんないい人はないと言って……。今西さん、私はあなたの方の照会を受けて、事実を初めて知ったのですが、その善良な三木さんが、東京で不幸な死に方をされたのは、腑《ふ》に落ちませんな」

今西は三木謙一が殺された原因を、彼の警察官時代に求めている。それは必然的に彼の暗い過去を期待してきたようなものだった。だから、いま、三木謙一について明るい話を聞くと、ちょっと当てが違うのだ。

「三木謙一さんという人は」

と、署長は言った。

「聞けば聞くほど立派な人ですね。そういう方が当署におられたのは、われわれの誇りですが、どういう因縁《いんねん》か、そんな不幸な目にあわれたのはお気の毒なことです」

「そうですね」

今西栄太郎は、三木謙一の養子が言った、親父《おやじ》は仏さまのような好人物だった、という言葉を思いだした。

「しかし、私の話だけではご参考にならないでしょう」

署長はつけ加えた。

「三木さんについては、もっといろんなことをお調べになりたいでしょう。そこで格好な人がいますよ。この町ではなく、三木さんが派出所勤めをしたことのある亀嵩ですがね。その人にあなたの来ることを通じておきましたから、今日あたりはたぶん待っているでしょう」

「ははあ、それはどういう人ですか?」

「ご存じかもしれませんが、この亀嵩というところは算盤《そろばん》の生産地なんです」

署長は説明した。

「高級算盤は、この亀嵩で作られて、出雲算盤として全国に名前があるのです。その人はその算盤製造業で桐原小十郎《きりはらこじゅうろう》さんといいます。一番の老舗《しにせ》ですがね。この桐原さんが三木さんと前に親しかったのです。私が話を聞いてあなたにお伝えするよりも、東京からせっかく見えたのですから、直接に尋ねられる方がいいと思います」

「そうですね。では、桐原さんに会わせていただきましょうか」

「亀嵩というと、ここからちょっとあります。バスも通っていますが、回数が少ないので、署のジープを用意させておきました。どうぞお使いください」

「それはどうもありがとうございます」

今西は礼を述べたあとで言った。

「ちょっと妙なことをおたずねしますが」

「ははあ、何ですか？」

「いえ、署長さんのお話を聞いていると、言葉が標準語とちっとも変わりません。この地方でお生まれになったと聞きましたが、失礼ですが、そうは思われないくらい訛《なま》りがありませんが」

「いや、それはですね」

と、署長は笑って言った。

「わざと、こちらの言葉を使わないだけですよ。今では若い人は、田舎言葉を出すのをだんだんやめているようですね」

「それはどういう理由《わけ》ですか？」

「この地方の人は、自分の田舎訛りに気はずかしさを持っているのです。ですから、他所《よそ》の人と話すときはできるだけ標準語に近い言葉で話していますし、あのディーゼルカーで宍道に出るときも、町の近くになると、田舎言葉を話さないようにしています。まあ、それだけ劣等感を持っているんでしょう。一つは、交通が開けたことにも由来するでしょうね。なにしろ、この辺の言葉をそのまま話すと、ひどいズーズー弁なんです。今では、よほどの山奥か年寄りでないと、そんな言葉は使っていないようです」

「亀嵩はどうでしょうか？」

「そうですね。亀嵩はここよりは使っているでしょう。あなたにご紹介した桐原さんも年寄りですから、われわれよりは訛りがひどいようです。けれど、あなたがいらしても田舎弁まるだしということはないでしょう」

今西栄太郎は、実はその出雲弁が聞きたかった。

4

今西栄太郎は、署長の好意で出してくれたジープに乗って亀嵩に向かった。道は絶えず線路に沿っている。両方から谷が迫って、ほとんど田畑というものはなかった。そのせいか、ところどころに見かける部落は貧しそうだった。

出雲三成の駅から四キロも行くと、亀嵩の駅になる。道はここで二叉《ふたまた》になり、線路沿いについている道は横田《よこた》という所に出るのだと、運転の署員は話した。

ジープは川に沿って山峡《やまかい》にはいっていく。

この川は途中で二つに分かれて、今度は亀嵩川という名になるのだった。亀嵩の駅から亀嵩部落はまだ四キログらいはあった。途中には、ほとんど家らしいものはない。

亀嵩の部落にはいると、思ったより大きな、古い町並みになっていた。

この辺の家も檜皮葺《ひわだぶき》の屋根が多く、なかには北国のように石を置いている家もある。算盤の名産地だと署長が説明したが、事実、町を通っていると、その算盤の部分品を家内工業で造っている家が多かった。

ジープは町のなかを走って、大きな構えの家の前にとまった。この辺の言葉でいう親方（金持ち）の屋敷である。署長の言った算盤の老舗《しにせ》、桐原小十郎の家だった。

運転した署員が先に立って、その門の中にはいった。きれいな庭が家の横手に見える。今西が、ちょっとおどろいたくらい風雅な造庭だった。

玄関をあけると、奥から待っていたように六十年輩の男が紹羽織《ろばおり》を着て出てきた。

「こちらが桐原小十郎さんです」

巡査は今西に紹介した。

「まあ、この暑いときね、ご苦労はんでしたね」

桐原小十郎はていねいに挨拶《あいさつ》した。白髪《しらが》頭の面長《おもなが》な、目の細い、鶴《つる》のように痩《や》せた老人だった。

「まあ、きちゃないことをしちょオましが、どうぞこっちへ上がってくださいませ」

「ごやっかいをかけます」

今西は主人の後ろについて、磨《みが》きこんだ廊下をあるいた。廊下は縁になっていて、そこからも石と泉水のきれいな庭が眺められた。主人は今西を茶室に案内した。ここでも今西が意外に思ったのは、この田舎に、こんな本式な茶室があるとは思えないくらい立派だったことである。ジープで来る途中、貧しい農家ばかりを見てきた目である。

主人は今西を上席にすえ、まずお茶を点《た》ててくれた。暑いときだったが、甘いような苦《にが》いような抹茶《まっちゃ》の味が、今西の疲れを少しやわらげてくれた。

道具も凝《こ》っている。茶の知識のない今西でも思わずほめた。

「こらあ——ほめてもらあやなもんであアませんが」

桐原小十郎は律義《りちぎ》におじぎをした。

「こげな田舎《ざいご》のことでしもんだけん、なんだりあアませんだども、お茶の習慣《しいかん》だけは昔からのこっちょりましてね、何分ね、出雲の殿さんが松平不昧公《まつだいらふまいこう》だった関係でいまだね、その風習《ふうしい》が残っちょオましだ」

今西はうなずいた。この田舎に似合わず、庭が京都ふうなのもわかった。

「東京からござらっしゃった衆《しゅ》には恥ずかしが、——まあ、こぎゃんな土地柄《がら》でし」

桐原小十郎は、そこまで言って気づいたように、今西の顔をのぞいた。

「ああ、そげえだ、よけいなことばっかしゃべりましたが、三木謙一さんのことで、私《わし》ねなんでも話せちいうことを署長《だん》さんから聞いちょオましが……」

今西栄太郎は、先ほどからそれとなく耳を立てていたが、やはり老人だけに桐原小十郎の言葉には訛りがあった。東北弁とはちょっと調子が違うが、ズーズー弁に似ていることに変わりはない。

「署長さんからお聞きになったと思いますが」

と、今西は言った。

「三木謙一さんは、最近、東京で不幸な亡《な》くなられ方をしたのです」

「そげな、げねしね！」

老人は、品のいい顔に暗い表情を浮かべた。

「あげなええ人《し》が、何の恨みだえら知らんだども、他人《ふと》の手ねかかって殺されたなんて夢《えめ》ねだり思えませだったわ。そオでまんだ犯人の見当はちかんでしだね」

「残念ながら、まだ目ぼしがつかないのです。われわれとしては、三木さんが警察官でもあったし、ぜひ、この犯人をあげたいと思っているしだいです。それで、こうして、まず、被害者の三木さんの過去を知りたいと思ってうかがったようなわけです」

桐原小十郎は、大きくうなずいた。

「是非《どけじ》、その仇《あだ》を取ってごしなはいや。あげなええ人《し》を殺した奴《やち》は憎んでもあきたアません」

「桐原さんと三木さんと、昔お親しかったそうですが」

「そのことでし、けえ、この先ね、今《えま》でも昔《もかし》からの駐在所《ちいざいしょ》があアましがね、三木さんはそこね三年ばかし勤務しちょられました。あげな立派な巡査《じんさ》さんはめったね、あアもんじゃアあアません。三木さんが警察をお辞《や》めなはって、作州の津山の近所で雑貨屋《みせや》さんになられエてから私《わし》もだいぶ久《ひ》イさん文通をしちょりましたども、ここ四五年なんとなく疎遠になっちょりましたとこめが、今度の事件を聞いて、寝耳ね水といったやアな具合で、私は、三木さんが、まんだ今《えま》でも盛大な商売《あきない》をやっちょオなはるとばっかし信じちょオました」

「実を申しますと」

今西は隠さないで言った。

「われわれとしては、三木さんが殺されたのは、タダの物盗《ものと》りではなく、怨恨《えんこん》関係だと思っています。三木さんは殺される前に、伊勢詣《いせまい》りに行く、と言って家を出られ、それから東京に来られて、ああいう不幸な結果になったのですが、三木さんの養子の方にきくと、現在、居住しておられる土地では、そういう原因に心当たりがないそうです。おっしゃるとおり、たいへんいい方で、だれからも尊敬はされているが、恨みを買うようなことはない、という養子さんの話です」

今西は、熱心に聞いている老人に話をつづけた。

「けれども、われわれとしては、その殺人事件が怨恨関係だという見込みをすてていないのです。三木さんの現在いらっしゃる江見の町でそういう原因がなかったら、もしかすると、その前、つまりこの地方で警察官をしていらっしゃるころに遠い原因があったのではないかと、こうまあ考えたわけです。まさか二十年も前のことが、と思われるかもわかりませんが、ただ今のところ、これという線が出ていない以上、一応、そこまで確かめてみたかったのです」

「そりゃあ、ま、たいへんご苦労さんでし」

桐原小十郎は、軽く頭を下げた。

「そうでしね、今《えま》、三木さんのお話が出ましたが、私の方もまったく同《おんな》じことをお答えするよりほかしょうがあアません」

「いいえ、別にお話を聞くのに、こちらからこういう点を、というようなことは申しません。三木さんのことで思い出されたぶんだけで結構です」

今西栄太郎は桐原老人に頼んだ。

「いや、そんならいくらでも話しましょ」

桐原小十郎は少し明るい顔になった。黒い絽羽織《ろばおり》を着て、きちんと正座してのことである。

「三木さんが、この駐在所《ちいざいしょ》にめえたときは、まんだ若かったでしな。私《わし》とあんまり年が違わんもんだけん友だちのようにしちょりましたよ。私がかねて駄句《うた》をひねるもんでしから、三木さんもそれにくぁんけいして俳句を作っておられました」

今西栄太郎は思わず目を輝かせた。

「ほう、それは初耳です。俳句を作っていらっしゃいましたか？」

「いや、この土地は、がんらい、俳句の盛んなとこでしてね。毎年、松江や米子《よなご》、それに浜田《はまだ》あたりからも、わざわざ俳人がここに集まるくらいでし。というのは、昔、子琴《しきん》という芭蕉《ばしよう》の系統を引く俳諧師《はいかいし》が、この出雲にくだらっしゃって、私の先祖の代にこの邸に長くおらっしゃったことがござアました。そげな因縁で、松江藩の文化的な藩風《ふ》もあって、この亀嵩は俳句でも知られてきたのでし」

「ははあ、なるほど」

今西は急に興味を起こした。自分も俳句らしいものを趣味にしている。

しかし、そんな私ごとは後まわしにして、肝心な話を先に聞きたかった。ところが、老人はすぐにその話を打ち切るのが惜しくなったとみえ、あとを続けた。

「当時は子琴が泊まると、この草深い亀嵩に中国地方の俳人が全部集まったもんだげね。このときに使ったという振り出し探題を入れた箱が、まだ私の方に家宝として残っておオまし。これは村上吉五郎《むらかみきちごろう》という大工《だいく》が腕をふるったもので、ちょっと知恵の箱のように事くそを知らんもんには、箱があかないことになっちょりまし。ごオ承知のように、この亀嵩は雲州算盤《ほんば》の産地で、この吉五郎が算盤造りの元祖なのでし。いや、これは話が枝道にそれましたが」

桐原老人は自分で苦笑した。

「どうも年寄りの話は、途中が長くなってえけません。いずれ、その知恵の箱はあとでお目にかけましが。そげなわけで、三木さんも俳句やなんかでよく来られ、格別に懇意にしておました。でしから、三木さんのことは家族のよう知っちょりまし。あげなええ人《し》はあアません」

「駐在所に来られたときは、三木さんには奥さんがおありでしたか?」

「おられました。おフミさんといっておオましたかえな。気の毒に、三木さんが三成の警察署に転勤されたとき、亡くなられました。この人もよくでけておオましたな。」

夫婦《みようと》そろうて仏さまのようでした。巡査ちいと、誰《だれ》んもがいやかもんでしが、三木さんばっかりゃあ、みんなから慕《す》かれておオました。実際、あのくらいよく他人《ふと》の世話をした人はあアませんよ」

老人は当時を回想するように目を閉じた。

鯉《こい》がはねるのか泉水に水音がした。

「三木さんは」

と、老人は話をつづけた。

「とっても腰の低い人《し》でした。今じゃ警察官《だんさん》も、だいぶん、昔たあ違いましたが、当時のことで、特にこげな駐在所《ちいざいしょ》で威張《えば》る人もあアました。三木さんにゃ、そげな気持ちは少《ち》いとだりなあアく、だんもの面倒《めんだな》をみていましけんね。あなたも覧《み》らっしゃったらが、この亀嵩《かめだけ》には田アがほとんどあアません。そうで、百姓はみんな貧乏しちようます。生業《くらし》といったら、炭焼だとか、椎茸《しいたけ》の栽培だとか、樵夫《きこり》だとか、そげんなものばっかアです。ほかは、算盤工場に勤めちおる程度で家計《くらし》は豊かじゃあアません」

庭の植込みの上に強い陽射《ひざ》しが当たっている。風は少しもはいってこなかった。

「ひょっこり病気にでもなりゃあ、医者さんの払いにも困《こま》アまし。それと夫婦出稼《みようとともかせ》ぎが多く、子供の多い家《え》は困アわけでし。三木さんはそげなところに目をちけて、友人から寄付を募《つの》って寺に託児所のやあなものを作りました。今でこそ民生委員というものがあアましが、当時にはそげな制度もなく、三木さんは貧乏しちょるもんに、そげなことまでしてござらした。おかげで、どうだけみんなが助かったもんかわかアません」

今西はいちいちメモにつけた。

「巡査の給料《きいりょう》なんちいもんはしれたもんですが、三木さんは、そのわずかな給料の中から、困っちょる者が病気になあアと、こっそり薬代を払ってやっちょらしたようです。三木さんには子供がなかったもんですけん、たった一つのたのしみといったら、晩酌《ばんしゃく》を二合ばっかア飲まっしゃるくらいでしょう。そのわずかな晩酌も、時には倹約して人助けにまわいたこともあアまし」

「なるほど立派な人ですね」

「そげです。あげな立派な人はあアません。私が友だちだけん、特別にほめちょるわけじゃあアませんが、実際《ほんと》に珍しい人です。そげそげ、いつでしたかな。この村にナリンボウのホイタが来ましてね」

「ホイタというと何ですか？」

「乞食《こじき》のことです。この地方ではそげなふうに言っちょうおましが、それが子供連れでこの村に入《え》ったことがあアまし。三木さんはそれを見つけて、直接《じき》にこの癩病《らいびょう》の乞食を隔離《はな》いて、その子供は寺の託児所に預けましたがね。そげな面倒も細かく気のつく人でした。火事で焼け死にかけた赤ン坊を助けちゃったり、水害《おおみず》のときに溺《おぼ》れかけちょる人を救うたことも、署長《だん》さんから聞いちょらっしゃアが、この亀嵩の駐在所に来らっしゃっても、そげに似た話はあアまし。何日《いち》でしたか、この山の奥に樵夫《きこり》がはいって、急病で倒れたことがあアましがね、医者さんを連れて行かあねも、急な難所《やまみち》でしたから、そいちもできんで、三木さんが病人を背負うて、難儀な山坂を越えて医者さんの所に運んだこともあアまし。この村《じげ》にモメ事があっても、三木さんが顔を出しとたいてい和《なご》やかに治まるし、家庭《え》の中でモメ事があると、三木さんに相談に行ったもんでし。人柄もよござんしたが、あげんみんなから慕《す》かれた巡査《じんさ》さんもあアませんそうで、三木さんが三成署に転勤になるときなんどは、村中が惜しんで引きとめ運動《ばなし》をしるくらいでした。三木さんが、三年もこの土地の駐在所《ちいざいしょ》におらっしゃったのも、一つは皆から引きとめられておったことにもなアます」

桐原小十郎の長い話は終わった。

要するに三木謙一の立派だったことに話は尽きた。

今西としては、ここでもやはり失望せねばならなかった。三木謙一の死の原因が、彼の巡査時代の何かに関係があると思って見込みをつけてきたのだが、それらしい片鱗《へんりん》もこの桐原老人の話にはなかった。

三木謙一に怨恨関係は探せなかった。怨恨どころか、聞けば聞くほど彼は立派な人物だった。こういう山奥にこのような警察官がいたのかと思うと、同じ道にいる今西は、ひそかに誇らねばならなかった。

彼はそのことに満足すると同時に、大きな空虚感を覚えた。この矛盾した気持ちは自分でも解釈がつかない。

「どうもありがとうございました」

今西は老人に感謝したが、その表情はどこか寂しかった。

「えや、なんのお役に立たで」

と、桐原小十郎は律義に会釈《えしやく》した。

「警視庁のだんさん方が、わざわざこの田舎《ざいご》にいらっしゃってご苦労はんでしたが、そげなわけで三木さんに限って人に恨まれたアとか、二重の人格があアなどと、いいことは、決してあアません。あの人《し》は根っからの善人《ええし》でし。そうは、あの人《し》を知っちよるだれんでもに聞かしゃっても、同い《おな》答《こと》しか言わんでしょう」

「よくわかりました。警察官として、私も三木さんが立派だったということを聞くのは嬉《うれ》しいです」

今西はそう答えた。

「私の見込み違いだったかもしれません」

「こげな、暑いときにご苦労はんでしたな」

老人は気の毒そうに今西の顔を見た。

「最後におたずねしますが」

と、今西は言った。

「この亀嵩《かめだけ》の人で、現在、東京に住んでいらっしゃる方はおられませんか？」

「そげですな」

老人は首をかしげた。

「そりゃあどげなかな？　なんせ、こげな部落《じけ》でして、そうに他国《よそ》に出えーたもんは相当《かなあ》あアますども、東京に行かしゃった人《し》は、おおかたわかあ筈《はじ》でしが。田舎《ざいご》のことだもんけん、親、兄弟、親戚だあえは文通《たより》があアし、文通があアと自然わしゃちの耳に、誰々《だあだあ》は東京に居《お》うという話があアます。土地が狭いもんだけん、そうがないとこ見いと、私《わし》には心当たあアがあアません」

「三十前後の若い人です。そういう年輩の人は東京にいませんか？」

「聞いたことがあアません。私《わし》はこの土地では古顔で、こげな店もやっちょおますで、たいがいのことは耳に入《はあ》りますが」

「そうですか、いや失礼いたしました」

今西は挨拶して立ちあがろうとした。

「まあ、せっかく見えましただけん、もう一寸《ちょんぼう》ええだあアませんか。三木さんの話は、えま言ったほかにはあアませんが、えまお話しした俳句の探題箱などお目にかけましよう。今西さんとおっしゃいまアしたね。あんたは俳句をお詠《よ》みになアませんか？」

「いや、興味がないことはありませんが」

「そげなら、ことさらです。今持ってきてごらんに入れまし。そうは珍しい箱でしてね。こうはさすが昔《もかし》の名人が作ったもんで、今《えま》の者《もん》には、到底《てんで》、真似がようできません。せっかくここまでこらしゃったことだけん土産話《みやげばなし》に一つ見て帰ってござっしゃい」

桐原老人は手を鳴らした。

今西栄太郎は桐原老人の所で二時間ばかり過ごした。

帰る前に、桐原家に所蔵されている探題箱や、昔からの俳人が遺《のこ》したという短冊《たんざく》などを見せてもらった。

下手《へた》の横好きで、こういうものを見せられると時間の経《た》つのを忘れるのだが、今西の気持ちは重かった。これが、ここまで来た目的を果たしてのことなら、もっとたのしいにちがいない。だが、主目的の収穫はないのだ。

殺された三木謙一が立派な人間だったと知って期待はずれというのはおかしな話だが、捜査の上から見ると、被害者は何の手がかりも残してくれていないのである。被害者はあまりに人格ができすぎていた。

この村では、この桐原老人ぐらい三木謙一を知った者はいないのだから、ほかにたずねようはなかった。今西は、厚く礼を述べて桐原邸を辞した。

またジープに乗せてもらった。

町かどに来ると、駐在所が見えた。今西は、車をとめてもらった。

駐在所をのぞくと、若い巡査が机に向かって何か書いていた。つづきになっている住居には、青いスダレが垂れて風に揺れていた。三木謙一が勤務していた駐在所なのである。古さからいって、そのときとは変わっていないように思われる。

今西は、何か記念物を見るような思いがした。あまりに三木謙一という人物を深く知りすぎると、こういうものにも一種の感慨を催すのである。

また元の道へかえった。

亀嵩の部落に別れて、川沿いの一本道を走った。今西は、秋田県の亀田では手がかりらしいものがあった。だが、この亀嵩ではなに一つ残っているものはないのである。

今西は、秋田県の亀田で聞いたあの妙な男のことが心に浮かんだ。あの男はいったい何者だろう。事件に関係があるのか、ないのか。

ジープは、田も畑もない山峡《やまかい》を戻《もど》っていく。

それにしても、三木謙一は立派な人物だった。その人がなぜ顔まで潰《つぶ》されるような悲惨な殺され方をされなければならないのか。

犯人はよほど三木謙一を恨んでいたと思われる。人格者が人に恨みを買うというのは、こちらで気づかない別な理由があるのだろうか。

あんな殺し方をした犯人は、相当な返り血を浴びているはずだが、その処分をどうしたのか。

犯人は血のついた衣服を自宅に隠匿《いんとく》しているのだろうか。これまでいろいろ事件を手がけてきたが、そんな場合、犯人はたいていそれを天井裏に隠したり、床下に埋めたりする処置をとっていた。

今度の場合はどうだろうか。

今西は、以前にも吉村に話したことがある。犯人は車で逃げたのだ。自宅には直接に帰っていない、途中に中継地を持っていて、彼はそこで血染めの衣服を脱ぎ、別な衣服に着替えて帰ったに違いない、と。今でもその考えは間違っていないと思っている。そのアジトはどこか。やはり最初の見込みのとおり、蒲田を中心とする近い場所か。そのアジトは犯人の愛人のいる家か。

亀嵩の駅が見えて、道は線路に接着した。半鐘を吊《つ》った火《ひ》の見櫓《みやぐら》が見えた。

第七章　血《けっ》痕《こん》

1

今西栄太郎は空《むな》しく東京に帰った。

空しく、という感じが、これほど適切だったことはない。期待が大きかっただけに、失望も深かった。

被害者三木謙一の過去に殺人事件の原因があると確信をもって出雲《いずも》の奥地まで行ったのだが、何一つ手がかりは得られなかった。聞いたのは、三木謙一が立派な人物だったということだけである。

普通ならこの話は気持ちのいいはずである。だが、それが不服なのは、刑事という職業が因果なのかもしれない。

警視庁に帰ると、今西は、係長にも課長にも出張の報告をした。元気がなかった。かえって上司に慰めてもらった。

「カメダ」と「東北弁」に、自分があまりに固執していたことを反省してみた。あまりに、この二つに引きずりまわされてきたような気がする。捜査はつねに冷静で客観的でなければならない。

今度の事件ではいつのまにか、先入観に方向を見失ったような気がする。

憂鬱《ゆううつ》な毎日だった。新しい事件は、あとからあとからと絶えない。今西は気分転換のためにも、新しい捜査に心を入れた。が、一度できた空虚感は容易に埋まらなかった。

着眼はよかったのだ。しかし、実際は違っていた。事実は今西が考えたことを、何一つ、証明してくれなかった。

今西は帰ってから、吉村にも、電話でそのことを言った。吉村は気の毒がっていた。

「遠いところをご苦労さまでした。しかし、今西さんの考え方は間違っていないと思いますよ。そのうち、きっと何か出ます」

彼はそう慰めてくれた。

きっと何かが出る——。そのときは、その言葉を若い同僚の慰めとしか受け取れなかった。

限りのある捜査費から、東北と出雲と、二度も出張費を使ったことを、彼は心苦しく思った。

浮かない毎日がつづいた。事件発生以来、いつかもう三カ月を過ぎていた。朝夕はいくらか秋の気配を感じさせるが、日中はきびしい暑さがつづいている。

そんなある日、今西は本庁からの帰りに、週刊誌を買い、都電の中で開いた。

そのなかに、随筆の連載ものがあり、今西は読むともなくそれに目を落とした。次のような文章である。

「旅をすると、いろいろ変わった場面にぶっつかる。この五月のことだった。所用があって信州に行ったがその帰りのことである。夜汽車であった。確か甲府あたりだったと思うが、私の向かい側に若い女の人が乗りこんできた。なかなかの美人である。

それだけなら、ただの美人という印象にとどまったのだが、その若い女性が列車の窓をあけて何やら撒《ま》きはじめた。

私は、何だろうと思って見ると、それは細かな紙片《かみきれ》を窓の外に撒いているのだった。しかも、それは一回だけではなく、汽車が大月駅を過ぎても、何回となく撒かれるのだ。その娘さんは、ハンドバッグの中から紙片を摑《つか》み出しては、少しずつ外に捨てる。すると、紙片は風に散って紙吹雪《かみふぶき》となるのだった。

私は、思わず微笑《ほほえ》んだ。今どきドライと思われがちな若い女性が、こんな子供っぽい、しかもロマンティックなことをするとは思わなかった。私は芥川龍之介《あくたがわりゅうのすけ》の『蜜柑《みかん》』という短編を思い出した」

今西栄太郎は、家に帰った。

近ごろは大きな事件がなく、捜査本部を作るようなこともなかった。これは、市民生活の平和のためには喜ぶべきことだが、今西としては何となく物足りない。やはり刑事という職業は因果なものだと思った。

帰ると、すぐに太郎を連れて、銭湯に行った。

まだ時間が早いので、それほど混んではいなかった。太郎は近所の友だちといっしょになったので、よろこんで、遊んでいる。

小さい子供が、蛇口《じゃぐち》に桶《おけ》を据《す》えて、悪戯《いたずら》をしていた。湯につかりながら今西は、今日、帰りに読んだ随筆の文章をふと思い出した。

あれはちょっとおもしろかった。そういう子供っぽいことをする娘もいるものか。その随筆の書き方からすると、その娘は甲府から東京にひとり旅をしていて、自分の心細さを、そんなことでまぎらせていたのかもしれない。

今西は、随筆の著者が引用した芥川龍之介の作品は読んでいなかったが、そういう娘心が、何だかわかるような気がした。

夜汽車の暗い窓から紙を散らしていく女。闇《やみ》の中に紙片がばらばらになって舞いあがり、線路にこぼれていくさまが目に浮かんだ。

今西は、ざぶりと顔を洗った。それから流し場に出て体をこすった。

それから太郎をつかまえて洗ってやり、そのあと、すぐに湯槽《ゆぶね》にはいる気もせず、そのまますわっていた。いい気持ちである。

紙吹雪を撒く女のことが、まだ頭の中に残っていた。今西は、もう一度湯槽にはいった。

十分間ぐらいそうしていた。今西は、もう一度湯槽にはいった。肩を湯につけた時である。

今西の頭に何かがひらめいた。

彼は、はっとした。

思わず目を一点に据えて、湯の中で動かなかった。

彼は表情が変わっていた。それまでのんびりしていた顔つきが緊張した。体を拭《ふ》くのも無意識だった。まだ友だちとふざけていたがる子供を急《せ》きたてて家に帰った。

「おい」

と、妻に言った。

「今日、おれが買ってきた週刊誌は、どこにやった?」

台所の方で、妻の声が答えた。

「あら、わたし、いま読んでいるわよ」

今西は、煮物をしながら、できるのを待っている妻の手から、週刊誌を奪い取った。

彼は急いで目次を探し、随筆欄を開いた。

題名は「紙吹雪の女」とある。筆者は川野《かわの》英造《ひでぞう》という人だった。

この名前なら、今西も知っている。大学教授で、よく雑誌にいろんな文章を書いている人である。

今西は、時計を見た。

七時を過ぎている。が、まだ雑誌社にはだれか居るはずだ。

彼は家を飛び出して、近所の赤電話に取りついた。

雑誌でメモした電話番号をまわした。

編集部の人は居残っていた。彼の質問に、先方では、ていねいに答えてくれた。

川野英造教授の自宅は、世田谷区豪徳寺《せたがやごうとくじ》であることがわかった。

朝、今西栄太郎は川野英造教授を豪徳寺の自宅に訪ねた。昨夜、電話を掛けたとき、この時間を教授は指定した。

川野教授は警視庁刑事の訪問を、少々意外な面持《おもも》ちで迎えた。さすがに学者の応接間で、壁の三方は本棚《ほんだな》でぎっしりと埋まっている。

教授はふだん着の着流しで出てきたが、すぐに今西の用件を聞いた。

「実は、週刊誌で先生の随筆を拝見いたしました。たしか『紙吹雪の女』という題でしたが」

今西が言いかけると、

「ああ、あれですか」

教授は照れくさそうに笑った。が、その随筆と警視庁と、どのような関係があるのか、と問いたそうな目つきは変わらなかった。

「実は、先生がその列車で見かけられたという若い女性のことで、お尋ねにあがったのですが」

「というと、あの随筆に書いたあれですか？」

「そうです。ある事件の関係でちょっとそのことが気にかかりましたので、その女性の人相や服装などをおたずねにあがったんです」

今西がそう言うと、教授の顔に狼狽《ろうばい》が走った。

「いや、おどろきましたな」

教授は頭を掻《か》いた。

「そういうことまで、警視庁ではおしらべになるのですか?」

「はあ、いま申し上げましたとおり、ある事件の聞込みに関係がありますので」

「それは弱りましたな」

教授は困ったような笑い方をした。

「実はですね、あれはぼくが出会った女じゃないんですよ」

今度は今西がおどろいた。

「とおっしゃると、あの先生の随筆は?」

「いや、どうも」

教授は手を振った。

「とんだところでボロを出しました。実はですな、あの話はぼくの知人から聞いたことなんですよ。ところが、知人の話を受け売りしたと書くと、どうしても話がつまらなくなるので、ぼくの実見談として書いたわけです。まさか、こんな伏勢があるとは知りませんでした。えらいミソをつけました」

川野教授は頭に手を当てていた。

「そうですか」

今西も苦笑した。

「いや、よくわかりました。しかし、先生」

と、今西はもとの真剣な顔にかえった。

「そのお知合いの方の話は、ほんとうでしょうね？」

「いや、それは本当ですよ。その男は嘘《うそ》をつくような人間じゃないから、ぼくは実話だと思いますね。まさか、その男までがぼくみたいにいい加減に他人の受け売りを話したとは思われません」

「先生、そのおかたにご紹介願えませんでしょうか？　いや、私の方としては、何とかその事実を調べてみたいことがあるんです」

「そうですか。いや、こうなったら、ぼくも責任がありますからな。ご紹介しましょう。その男は村山といって××新聞社の学芸部にいる男です」

「ありがとうございました」

今西は早い朝の訪問を謝した。

その日の午後、今西栄太郎は××新聞社の学芸部の村山記者に電話した。今西は電話をすると村山の方から新聞社に近い喫茶店に出てくるというのだった。今西はそこで彼と待ちあわせた。

村山記者は、頭の毛のもじゃもじゃした痩《や》せぎすの男だった。

「あの女のことですか?」

村山は今西の話を聞いて笑った。

「あれは、確かに川野教授に話したとおりですよ。ある本屋で川野さんに会ったので、つい、ぼくが経験したその話をしたんです。すると、先生ひどくよろこびましてね。さっそく、週刊誌に書いたわけです。原稿料がはいったら、ぼくに奢《おご》ってくれるという約束でしたが、それが警視庁にひっかかるとは思いませんでした」

「いや、われわれの方では、行きづまった事件が、時々妙なことから解決することがあるのですよ。村山さんが川野教授にそれを話さなかったら、あの随筆はできなかったでしょうし、私もある事実を知ることはできなかったというわけです。あなたが川野先生に話されたことに感謝したいのです」

「いや、どうも」

と、村山は頭を掻いた。

「あれは川野先生が随筆に書かれたとおりです。その女は甲府から乗りこんで塩山《えんざん》あたりから、その白い紙片を窓からまきはじめたんです」

「人相は?」

今西はきいた。

「そうですね。二十五六ぐらいの小柄《こがら》なかわいい顔をした女ですよ。あんまり、けばけばしい化粧はしていませんでしたがね。服装もアカぬけしていました」

「どんな服装でした?」

「そうですね。ぼくは女の子の服装のことはよくわかりませんが、普通の黒いスーツで、白いブラウスを着ていたようです」

「なるほど」

「スーツも、そう上等なものではありませんが、着こなしがいいというか、よく似合っていました。それから、黒いハンドバッグのほかに、青いズックのケースを持っていましたよ。あまり大きくないしゃれた型のです」

「いや、なかなか結構です。細かいですな」

今西は満足した。

「顔の方をもうちょっと言ってください」

村山は目を半分閉じるようにしていたが、

「目の少し大きい、口もとのひきしまった顔です。そうですな、なかなか女の子の顔の描写はむずかしいが、今の映画俳優でいうと、岡田茉莉子《おかだまりこ》に似ているといった方が近いでしょうか」

今西はその女優の顔をよく知らなかったが、いずれあとで写真を見ることにした。

「その紙片を見たのは、川野先生が随筆に書かれたとおりの場所ですか?」

「そうです。あれに間違いありません。ぼくは妙なことをするなア、と思って見ていましたから」

「それは、いつごろですか?」

「ぼくが信州からの帰りですから、確か五月十九日だったと思います」

2

今西栄太郎は中央線に乗った。行先は塩山である。

行くときは右側の窓をあけて、子供のように首を出した。相模湖《さがみこ》を過ぎたあたりから、線路沿いを凝視した。山間《やまあい》には夏草が茂り、田には青い稲が成長していた。

今西は気をつけて見たが、瞬間に走り過ぎる列車の窓からでは、もとより目的のものが目にはいるわけはなかった。

朝早く新宿駅を発《た》った。今日は一日中、この中央線の往復につぶすつもりだった。往《ゆ》きは準急だったが、帰りは各駅停車の鈍行に乗ることにした。それも、何本もの汽車に乗り換えなければならない。

新聞記者の村山が目撃したという女が、汽車の窓から紙片をまいたのはだいたい、次のような地点だった。

塩山―勝沼《かつぬま》
初鹿野《はじかの》―笹子《ささご》
初狩《はつかり》―大月
猿橋《さるはし》―鳥沢《とりさわ》
上野原《うえのはら》―相模湖間

やっかいで骨の折れる仕事である。それに当てのない話だった。その女が紙吹雪をまいてから、すでに、三カ月以上になる。村山の話によると、それは小さな紙片だったというから、現在、そのままそこに残っているかどうかわからなかった。唯一《ゆいいつ》の頼みは、それが普通の道でなく、線路わきという条件だから、あんがい、草むらの中にひそんで残っているかもわからない可能性だった。

だが、いずれにしても、そのときから百日近く経《た》っている。小さな欠片《きれ》だからどこかに吹き飛ばされてわからなくなったことも考えられるし、また、その後、雨が何回も降っているので、それに流されてしまったということも考えられる。

今西は、塩山駅でおりて駅長に会い、線路沿いに歩く許可を求めた。捜査のためだと言うと、

「それは、ご苦労さまですな。しかし、列車が頻繁《ひんぱん》に通過しますから、どうか気をつけてください」

と承諾してくれた。

塩山から勝沼までは、ほとんど山沿いである。

今西は線路わきの小さな路《みち》を目を地上に落としながらゆっくりと歩いた。暑い日である。枕木《まくらぎ》の間に詰めた小石にも、すぐ横の斜面に生えた草むらにも、入念に目を向けなければならなかった。

今西は、むずかしい仕事とは思ったが、実際にやってみて、ほとんど自分の企てが、絶望的であることを知った。徹底的にその紙片を探そうと思えば、人夫でも雇って沿

線の草刈りでもしなければならない。その場合でも範囲が広いから、砂漠《さばく》の中から一粒のダイヤを見つけるようなものだった。

ただ、頼みに思うのは、その欠片《きれ》が白いということだけである。青草の中にこぼれていれば、その白さが目立つだろうと思った。

しかし、歩いてみてわかったのだが、線路わきにはいろいろな物が落ちている。紙きれもあれば、ボロの切れ端、空《あき》びん、弁当の殻《から》、さまざまだった。今西は五百メートルも歩かないうちにうんざりした。

しかし、せっかく、来たのだ。諦《あきら》めて帰ることも残念だし、また、それはできなかった。何としてでも、たとえその一枚だけでも発見したかった。今西の歩いている前を、とかげが青い背を光らせて過ぎた。

今西は歩いた。

たいへんな苦労だった。熱い直射日光の下だし、カッと照っている地面を見つめて歩いていると、しまいには目が眩《くら》みそうだった。線路の鉄も灼《や》けていた。

塩山から勝沼の間は徒労だった。

今西は勝沼駅に着くと、すぐ水を飲んだ。

しばらく休んで、また歩き出した。勝沼、初鹿野間も長い。やがて初鹿野も過ぎた。

線路わきの土堤《どて》にはあいかわらず夏草が生《お》い茂っている。その下に小さな溝《みぞ》があり青い稲田が展《ひろ》がっていた。

今西は汗を拭《ぬぐ》いながら歩いた。目を大きくあけて地面を絶えず見つめないと、うっかり見のがしそうである。なにしろ、探すものが小さな欠片《きれ》なのだ。

その間に、上りと下りの列車が何回か通る。通過の直後には風が来るが、そのあとはうだるような暑さにかえった。

線路わきの斜面を蔽《おお》った夏草の中にも、雑多なものが落ちている。これが彼の視線を妨《さまた》げて、目を迷わすのである。

体も疲れたが、まず目が最初に参った。

これではいけない、と勇気を振るい起こして歩いた。

線路から遠く離れて甲州街道がのびている。白い往還をトラックが砂塵《ほこり》を上げて走っていた。

今西はとぼとぼと歩いた。歩いても歩いても、探し物は目にはいらない。今西は絶望しかけた。ずいぶん古いことで、それを探し出すのが奇跡なくらいである。

線路は山道にかかった。向こうのほうにトンネルの入口が見える。笹子トンネルだった。

両側から崖《がけ》の斜面が線路に向かって落ちていた。土砂崩れ防止のコンクリートの白さが目に痛かった。

トンネルの中まで捜索はできない。あいにくと懐中電灯を持っていなかった。

今西がトンネルのすぐ傍《そば》まで来て、引き返そうと思っていたときだった。彼の目は、ふと横の草の間に止まった。

小さな、うす汚れたような茶色っぽいものが、草むらの中に、二三片ひっかかるようにこぼれていた。

今西は腰をかがめた。ていねいに、指をその紙片の端にかけて拾い上げた。

目に近づけて調べたとき、今西の胸は鞭《むち》を入れたように激しく鳴りはじめた。

(あった!)

それは、ほぼ三センチ近くの布片《ぬのぎれ》だった。変色しているが、あきらかに木綿らしいシャツの布地なのだ。

雨と日数の経過とで、それはうす黒く変色しているのだが、その上にほんのわずかだが、茶褐色《ちゃかっしょく》の絵具を染《し》ませたような斑点《はんてん》があった。

今西はもう一枚を拾った。これは、茶褐色の部分がもっと大きく、ほとんど半分近くを占めていた。

彼は次々に拾った。全部で六枚あった。

いずれも、布地はうす黒くなっているが、茶褐色の色の部分の大きさは、さまざまである。

今西は、持っていた煙草《たばこ》の空箱の中に採集品をていねいに入れて蓋《ふた》をした。

（あった。あった。あった！）

今西は、呟《つぶや》きを夢中でつづけた。

今までの苦しさがいっぺんに吹き飛んだ。

その布片は、あきらかに鋏《はさみ》で切ったように截断《せつだん》されていた。布地《きれじ》は、今西が見ても上等の品だった。よくわからないが、木綿とテトロンとの混紡らしい。今西は、蒲田のバーに現われた男が淡いグレイのスポーツシャツを着ていたという話を考えていた。布地は汚れていたが、たしかに地の色は淡い灰色を帯びているように思えた。

とにかく、これで勇気が出た。今西は、初鹿野駅から次の汽車を待って乗り、トンネルを越して、笹子駅におりた。ここからもまた線路沿いを伝った。

拾得したものが、はっきり色の特徴を見せてくれたので、今度は探すのに目標が立った。

今西は歩いた。この辺は、山の重なりと狭い田圃《たんぼ》の展がりとが交錯している。

今西は、草むらだけを中心にして、目の捜索をつづけた。先ほど発見した布片の落ち具合から考えて、その布片は草むらの中に止まっている公算が大きかった。列車の進行と風の具合とでそうなるものだ、とはっきりわかった。

今西は、五百メートル行っては休み、三百メートル行っては休んだ。こうしないと、目がくらみそうである。青田の向こうには小高い山が重なり、片方の山間には列車の走るのが見えた。富士山麓《ふじさんろく》に行く線路だった。

また歩いた。しかし、今度は元気が出ていた。今西は希望と勇気を取り返していた。千メートルも歩いたころ、それは何度かの小休止ののちだったが、草むらに投げ捨てられた、弁当殻のすぐ横に、眼底に焼きついて離れない布片が二三枚かたまって落ちていた。草むらのかなり深い所で、よほど気をつけないとわからないくらいだった。

今西は、斜面を少し降りて、それをていねいに拾い上げた。今度はほとんどが白い布片ばかりだったが、間違いなく、煙草の空箱の中に入れたものと同類だった。

今西は、それからも一時間ばかりかかって、その辺を重点的に探した。しかし、他の布片はよそに吹き飛んだのか、よほど深い所に潜《もぐ》っているのか、発見はできなかった。

新聞記者の村山の話したことに嘘はなかった。彼の言葉どおりに、正確に「紙吹雪」の残片は存在していたのである。

ついに、大月駅まで歩き通した。

賑《にぎ》やかな町がふえて来て、線路は踏切と交錯した。

今西は、駅前の飲食店にはいり、頭から水をかぶって気分を静めた。あのままだと、もう少しで日射病を起こして倒れそうであった。

今度は、猿橋と鳥沢間である。汽車に乗るほどのことはなかった。次の列車を待つより、歩いたほうが早い。

広重《ひろしげ》の絵にも描かれた猿橋の橋を左手に眺《なが》めながら、鉄橋を渡ると、ふたたび、むせ返るような草いきれのする路《みち》だった。

燃えるような太陽は、ようやく西のほうに傾いているが、暑さは一向に減らない。

地面の照り返しは、今西の目と鼻を圧倒しそうなくらいである。

が、彼は歩いた。

（あった。あった。あった！）

今西は歩いた。

線路の先は彎曲《わんきよく》し、陽《ひ》に光っていた。今西の捜査も長い道程だった。しかし、ようやく、彼の目にも捜査の軌《き》道《どう》が見えてきたような気がした。

今西は、警視庁に帰った。

中央線の塩山駅から相模湖駅の間で採集した布片は、結局、全部で十三枚だった。いずれも同質で同じ布を小さく切ったことがわかった。

たいそう骨の折れる仕事だったが、それでも三カ月以上経った今日、それを発見することができたのは僥倖《ぎようこう》に近いと言わねばならない。風が吹けばどこへ散るかわからないような小さな布である。

学芸部の記者が紙吹雪だと思ったのは、今西の推定したとおりであった。今西が、布片のことを思いついたのは、銭湯で浸《ひた》っているとき、返り血をあびた犯人の衣服が浮かんだからである。

被害者の返り血を浴びた衣服を犯人はどう処分したであろうか。自宅のどこかわからない場所に隠すか、火に燃すか、土の中に埋めるか、海や川に捨てるか、処分方法はいろいろである。

しかし、犯人の側から言えば、理想的なのは、その形を無くすることである。土の中に埋めても、海に流しても、だれかに発見されるおそれがないではない。

こういうことから考えると、やはりこれを燃して灰にすることが一番である。だが、衣服を燃すというのは、かなり人目に立つ仕事なのだ。隠れてこっそりとやっても、あのキナくさい臭《にお》いは消しようもあるまい。

それに、犯罪者の心理として、実際以上に、そういうことは気にかかるものであることを、今西は経験からよく知っていた。

蒲田操車場殺人事件の犯人は、相当な返り血を浴びている。今西は、犯人が自宅に帰る途中、それをどこかで着替えている、と推定しているのだが、そこには当然、犯人への協力者がいなければならない。

犯人が血染めの衣類の処分をするとすれば、協力者がその仕事を引き受けたのではなかろうか。ここにおいて、今西は、その協力者を女性だと考えた。「紙吹雪」の話を聞いたとき、それは紙ではなく、もしかすると白い布の細片ではないかと気づいたのは、実にその証拠の消し方だった。

今西は、この着想から、随筆にある中央線の線路伝いに、一日中炎天にさらされながら探して歩いたのだが、幸いに、その努力は報いられたと言っていい。

確かに、この布片は三カ月以上現場に捨てられてあることを証明するように、雨に打たれた跡もあり、淡いグレイの布片はうす黒く変色している。のみならず、一番大事な血痕《けっこん》と思われる茶褐色の部分が、その十三枚のうち七枚に付着しているのだ。

しかし、果たしてそれが人血であるかどうかは、鑑識に回して化学検査をしてもらわなければならない。

今西は、鑑識課を訪ねた。いつも事件のたびに世話になっている吉田《よしだ》技師に、彼は布片を出した。

「なるほど。これは血ですな」

吉田技師は、その布片を掌《て》にのせて眺めてから言った。

「血液の予備試験にはベンチジンとルミノールの両方がありますが、この場合ルミノール試験をやってみましょう」

吉田技師は今西の出した布片を持ち暗室にはいった。

今西は、ベンチジン試験というのは何度も見ている。それは綿に血痕を浸《ひた》して、その上にベンチジンをたらすと、白い綿が、ちょうどピースの箱の色のように濃紺色に染まるのだ。

また事件が夜間発生し、暗闇《くらやみ》で試験を行なう場合に、ルミノールを噴霧すると蛍光《けいこう》を発し、血痕の判別をすることがある。

今西の採集した布片を試験した。すると、暗室の闇の中で、布片はにわかに蛍光を放った。

「やはり、血痕でしたな」

吉田技師は今西に言った。

しかし、それは血液の痕《あと》だということだけで、人血か動物の血か、まだ判別はつかないのである。それは第二の試験によらなければならない。

それを実験するには、生理食塩水を試験管に入れ、布片をその中に浸すのである。生理食塩水は無色透明だ。

吉田技師は今西の見ている前で、そのとおりのことをした。

「一昼夜おかないと、やっぱりわかりません。明日の晩あたりにこちらを覗《のぞ》いてみてください」

一昼夜というと長い時間である。今西は待ち遠しかったが、こればかりは仕方がなかった。だが、ここまでくると、彼にはもう、それが人血であるという確信がついた。

血痕のついた布片を浸した生理食塩水は、一昼夜経つと、化学作用で浸出した液ができるのである。

この液体に還元した血痕を、抗人血色素という血清を使用して試験管の中に入れると、丸いような白い輪が出るのだ。これで、はっきりと人血と決定できるのである。

今西が待ちこがれた一昼夜が過ぎた。彼は翌《あく》る日の晩、鑑識課に駆けつけるように上がった。

「やっぱり、あれは人間の血ですね」

吉田技師は今西の顔に笑いかけながら、試験室に案内した。ならべて立ててある試験管の中の一本を取りあげると、今西に渡した。

今西が明るい光線に透《す》かして見ると、試験管の中の液体に、ちょうど卵の白身にある目玉のような、白い、丸い半透明が見られた。これが人血の特徴である。

「なるほど」

今西は見つめて、思わずうれしそうな声を出した。

確信は持っていたが、やはり心配だったのである。

「さあ、これからいよいよ血液型ですな」

技師は言った。

「ぜひ、お願いします。早く知りたいものです」

「今西さんの努力を考えると、われわれも、何をおいても早く結果を出したいですよ」

この試験は、

①血痕であるかどうか。②血痕が出たら、それが人血であるかどうか。③人血なら、

血液型はどうか。

の三段階となる。①の場合がルミノールとベンチジン試験であり、②の場合が人血反応である。今度は血液型を検出する最後の段階だ。

これは抗A、抗B、それぞれの血清を使って前に浸出した液をA、B、O式の凝集吸着試験を行なう。そのほかにM、N式とか、Q式などの血清を使った凝集吸着試験を行なう場合もある。

吉田技師は、入念にその実験を行なった。まず最初にA型を入れたが、これは凝集した。次にB型もAB型も同じ結果となった。なお、順次試験の結果、O型が見受けられた。

「今西さん」

と、吉田技師は言った。

「この布片についた血痕は、O型ですよ」

今西は、殺された三木謙一の血液型を手帳に控えている。

OMラージQ。——これが三木謙一の死体の血液から決定した血液型だった。

A、B、AB、Oの四つの型は、さらに別な鑑別法によって区分されるのである。

検出した布片の血液型が、さらに被害者のそれと同じようにOMラージQと出れば満点なのだが、吉田技師は、

「そこまでは検出できません。なにしろ、古い血だし、こういう布片についた少量ですから、細かいことはどうも」

と言って、不可能なことを説明した。

今西としては、しかし、その血がO型であることだけでも十分に満足だった。炎天の下で、焼けた線路伝いに塩山駅から相模湖駅まで、約三十六キロをてくてくと一日がかりで歩いたかいがあったのである。

今西は、このことを係長や捜査一課長に報告した。上司からは激励された。

こうなると、今西の推定したとおり、五月十九日の夜、列車の窓から布片を撒いた女こそ犯人の協力者であることは、いよいよ間違いないことになった。

今西はこおどりした。今度は、その女を突き止めなければならない。

その女を目撃した××新聞社の村山記者の話によると黒のスーツを着ていて、目の大きい、きれいな顔だったという。人相をきくと、映画女優の岡田茉莉子に似た顔だというのだ。

今西は、十九日の夜の新宿駅の改札口にいた係員を調べてもらって、当人に会ったが、もとより混雑の新宿駅のことだし、古い話だから、記憶がないのは当然だった。

そこで、彼は、その女性が甲府駅から乗ってきたことを考えて、甲府駅の駅員にもきいてもらうように甲府署に頼んだ。

しかし、この回答も、今西が予想したように絶望的であった。記憶がない、というのである。

せっかく、ここまでこぎつけておきながら当人を突き止め得ないのは、いかにもくやしい話である。が、今西は、線路伝いに小さな布片を探したように、必ず、自分の努力でその女を発見しようと決心した。

3

「紙吹雪の女」の行方を探し出すのは、ほとんど絶望に近かった。三カ月以前、中央線の上り夜汽車に乗っていたというだけで、ほかに手がかりがないのだ。その容貌《ようぼう》も服装も、似たような若い女は東京に何十万人といるだろう。

しかし、この女が三木謙一殺しの犯人の協力者だったことは間違いない。列車の窓から撒《ま》いた布片の血液型が被害者のそれとも一致している。

考えると、犯人は三木謙一を蒲田で殺して、そこからあまり遠くないところに逃げこみ、血染めの衣服を脱いだのである。女は犯人の血染めの衣類を小さく刻み、五月十九日に列車から撒き散らしたのである。殺人の犯行が五月十一日の真夜中で、列車の窓から撒いたのが十九日だから、約一週間ばかりの間がある。その間、血染めの犯人の衣服は、女が預かったことになる。

ところで、発見されたのは、当時、犯人が着ていたと思われるスポーツシャツである。では、返り血がついたのはシャツだけだろうか。

当然、ズボンにも血はついているはずだ。スポーツシャツは、小さく、鋏《はさみ》できざんでまいたことで処分できたが、ズボンの方はどうしたのであろう。

普通なら、シャツの布片といっしょに列車の窓からまきそうなものだが、実際はそれをしなかった。シャツだけが血に染まったと考えるのは不自然で、やはり、ズボンにも返り血が付着しているものと思う。

そのズボンは、まだどこかに隠匿《いんとく》されているか、または形を崩されているかしているに違いない。

いずれにしても、犯人には情婦がいた。それが列車の中に乗っていた女だ。

今西栄太郎は、ここまでわかっていながら、女を実際的に探すことが不可能なのを知った。

最初の推定どおり、改めて蒲田駅を中心にして、目《め》蒲《かま》線と池上《いけがみ》線の沿線に刑事たちを歩かせたがむだだった。女の人相を言って、間借りかアパート住居《ずまい》を目標にしたのだが、手がかりはなかった。また、その女がキャバレーかバーの女給という推定も立てて、この方面にも調査の手を伸ばした。新聞記者の村山が見た夜汽車の女の特徴が、あまり上等でない布地のスーツを、上手《じょうず》に着こなしていたという点からの思いつきである。犯人に協力して、証拠湮滅《いんめつ》工作をするような女だから、素人《しろうと》とは思われない、という考え方もあった。

捜査線上に、犯人のかたちも浮かんでこない現在、この女を唯一《ゆいいつ》の目標に追わなければならなかった。しかし、これもいっこうに手がかりがつかめないのである。

今西栄太郎に、前よりはもっと憂鬱《ゆううつ》な、重苦しい日がつづいた。

せっかく、捜査の軌道が見えたように思ったのだが、それはたちまち幻のように消えてしまったのだ。

炎天の下を、線路沿いにこつこつ歩いて、ようやく見つけた血痕のついた布片も、その苦労も、いっさいがむだになったようだった。

今西栄太郎に気の重い毎日がつづいたあとのある朝だった。

朝飯をすませて出勤までのわずかな時間、茶を飲んでいると、煙草を買いにやらされていた妻の芳子《よしこ》が、あわただしく駆け戻《もど》ってきた。

「あなた、大変ですよ」

今西は茶碗《ちゃわん》を口からはなした。

「何だ？」

「そこのアパートで自殺騒ぎが起こったんです。今それで所轄署《しょかつしょ》の人たちが見えていますよ」

自殺などにあまり関心はなかった。すると、妻は目をつりあげたような表情で言った。

「それが、あなた。ほら、いつか、わたしたちも会ったでしょ、アパートにいる新劇の事務員さんですよ」

「え？」

今西はそれを聞いてびっくりした。

「あの女がかい？」

今西の目には、瞬間に路地で行き会った細面《ほそおもて》の、背のすらりとした女の姿が浮かんだ。

「へえ、おどろいたな」

「でしょう？　わたしも聞いてびっくりしましたわ。まさか、あの方が、自殺するなんて。わからないものですね」

「いつ、死んだのだ？」

「今朝の七時に、アパートの人が部屋で発見したんですって。睡眠薬を二百錠も飲んでいたそうですよ。今、アパートの前は人がいっぱい集まっています」

「ふうん」

今西の目には、にぶい外灯の光の中で出会った若い女の顔がまたよみがえった。

「どうして、自殺なんかしたんだろうな?」

「さあ、よくわかりませんが、若い方のことですから、恋愛関係じゃないでしょうか?」

妻は女らしい意見を言った。

「そうかな。やれやれ、これからが花だというのに、気の毒なことをした」

今西は着物を脱ぎ、洋服に着替えた。

ワイシャツを着てボタンを掛けているとき、ふと、彼の頭によぎるものがあった。

「おい」

今西は妻を呼んだ。

「その女の顔をおまえよく見てたかい?」

「ええ」

「どんな顔つきだった?」

「そうですね。細面の目の大きいかわいい顔でしたわ」

「岡田茉莉子に似ていなかったか?」

「そうね」

妻は目を宙に浮かせた。

「そういえば、どこか岡田茉莉子に似たようなところもありました。そうそう、全体の印象がそんな感じでしたわ」

今西は、急に不機嫌《ふきげん》そうなむずかしい顔つきになって急いで上着を着た。

「行ってくる」

「行ってらっしゃい」

妻は出勤する夫を見送った。

今西栄太郎は、アパートの傍《そば》まで大股《おおまた》で歩いてきた。近所の人が十四五人も外に立って、アパートを眺めている。

所轄署の自動車《くるま》が入口に置かれてあった。

今西はアパートの方へ歩いた。

今西栄太郎はアパートの階段を上がった。自殺者の部屋は二階の五号室だった。

部屋の前に行くと、所轄署の者が立っていた。今西の顔を知っているので、署員は会釈《えしゃく》した。

「ご苦労さま」

今西は死者の部屋にはいった。

二三人の署員が立っていたが、自殺者は監察医がしゃがみこんで検《み》ていた。

「どうも、ご苦労さま」

今西には、顔見知りの署員ばかりだった。

「ちょっと仏さまを見せてください」

自分の受持ちでないので今西はことわった。署員は快く今西を死体の傍に行かせてくれた。

今西は死者を上から覗《のぞ》いた。

死体は布団《ふとん》の中に横たわっている。髪をきれいに手入れし、顔に濃いめの化粧をしていた。死後の顔を人に見られるのを自殺者は意識していたのである。着ている着物もよそ行きのようだった。部屋はきちんと片づいている。

今西は死者の顔をじっと見つめた。美しい顔である。確かに今西が路地で出会ったあの女だった。細面で、格好のいい唇《くちびる》を小さくあけている。目を閉じているが、なるほど眼窩《がんか》の具合からみて、あけたら大きい目に違いない。監察医は所見を助手に筆記させていた。今西はそれが終わるのを待った。

「睡眠薬ですって？」

と、彼は小声で署員の一人にきいた。

「そうです。二百錠ばかり飲んでいるようです。今朝、発見されたのですが、死亡時刻は昨夜の十一時ごろという推定ですが」

署員は答えた。

「遺書は？」

「別にありません。しかし、それと思われるような手記のようなものが書いてありまする」

「名前は？」

「成瀬《なるせ》リエ子です。二十五歳です。前衛劇団の事務員となっています」

署員は手帳を見て言った。

今西は部屋を見まわした。客を迎えるように、すべてが几帳面《きちょうめん》に整っている。

今西は、その隅《すみ》にある小さな洋服ダンスに目をとめた。

「実は、ちょっと気にかかることがあるんですがね」

今西は署員に言った。

「洋服ダンスをあけてもいいでしょうか？」

「どうぞ」

署員は快く応じてくれた。殺人事件ではなく、あきらかに自殺だから、さほど厳密ではなかった。今西はそっと洋服ダンスの方に行き、扉《とびら》を開いた。四五着分の洋服がハンガーにかかっていたが、今西の視線はその中の一つに注がれた。

黒のスーツだった。

今西の目はしばらくそれに吸いついたように密着していたが、黙って戸を閉じた。

彼は目で部屋を探した。すると、机と小さな本箱の間に、青いズックのスーツケースが置いてあるのが目に映った。スチュワーデスの持っているような小型のケースであった。

今西は手帳を出してスーツケースの特徴をメモした。このころになるとやっと検視が終わった。立ちあがった監察医と今西とははじめて顔を合わせたが、この監察医には、これまで事件のたびに今西も世話になっている。

「先生、どうもご苦労さまです」

今西は監察医に頭を下げた。

「なあんだ、君か。どうしてこんなところへ?」

医者は、不審そうな目をした。本庁の刑事が来る事件ではない。

「なに、近所ですからね。ちょっと、覗きに寄ったのです」

「そう、君はこの近所だったのか？」

「この仏も途中で何度か会って、多少の因縁《いんねん》があるんです」

「そりゃあ殊勝なことだ。まあ拝んであげてください」

医者は席をあけた。

今西はそこに膝《ひざ》を突いて死顔に合掌した。窓からの光線が、成瀬リエ子の半面に当たり、明るく清浄に見えた。

「先生」

と、今西は監察医の方を振り向いた。

「やっぱり自殺ですか？」

「そりゃあ間違いないね。睡眠薬を二百錠ぐらい飲んでいる。空瓶《あきびん》が枕《まくら》もとにあったよ」

「解剖の必要はないわけですね？」

「その必要はない。はっきりしているからな」

今西は立ちあがった。

今度は所轄署の署員の方に行った。

「さっき、仏に遺書はないけれど、それに似たような日記があるということでしたが、ちょっと見せてもらえますか？」

「どうぞ」

署員は机の方へ行った。机の上はきれいに片づいている。署員は引出しをあけた。

「これですよ」

大学ノートのようなものだった。それが開いたままになっている。

「ときどき、感想をつけたんですね」

今西は黙ってうなずき、文字を目で追った。なかなかの達筆だった。


「――愛とは孤独なものに運命づけられているのであろうか。

――三年の間、わたしたちの愛はつづいた。けれども築き上げられたものは何もなかった。これからも、何もないままにつづけられるであろう。未来永劫《えいごう》にと彼は言う。その空疎さにわたしは、自分の指の間から砂がこぼれ落ちるような虚《むな》しさを味わう。絶望が、夜ごとのわたしの夢を鞭《むち》うつ。けれども、わたしは勇気を持たねばならない。彼を信じて生きねばならない。孤独な愛を守り通さねばならない。孤独を自分に言い聞かせ、その中に喜びを持たねばならない。自身の築いたはかないものに、自分でとりすがって生きねばならない。この愛は、いつもわたしに犠牲を要求する。そのことにわたしは殉教的な歓喜さえ持たねばならない。未来永劫に、と彼は言う。わたしの生きる限り、彼はそれをつづけさせるのであろうか」

今西はノートをパラパラと繰《く》った。

どのページを見ても、具体的なことは、一つもなかった。このような抽象的な感想しか書かれていない。取りようによっては本人だけがわかり、他人には秘密にしているといった書き方だった。

今西は、もう一度署員にことわって、先ほどから目をつけていたスーツケースを取り上げた。

彼は止め金を開いた。中身は整理したとみえて品物は何もはいっていなかった。今西は隅《すみ》まで探した。しかし彼が期待したような布片の残りは、一枚もはいっていなかった。

「やっぱり、この娘さんは失恋自殺ですな」

所轄署の署員は今西栄太郎に言った。

「ノートに書いてあった文章を見ても、わかりますよ。この年ごろの女の子は、一途《いちず》に思いつめますからな」

今西はうなずいた。彼も同じ意見である。

しかし、所轄署の署員の言葉とは違った考えを今西は持っていた。なるほど、この若い女は相手に失恋して自殺したらしい。が、ただそれだけだろうか。

この女には、別に罪の意識のようなものがあって、それが彼女を死に追いつめた一つの原因になっているのではなかろうか。

今西の目には、夜汽車の窓から、鋏《はさみ》で細かく切った血染めの男のスポーツシャツを、風にまいていく情景が浮かんだ。

今西は、部屋をそっと出た。階下に降りた。

管理人のおばさんは白い顔をしていた。思いもよらない変事で顔を硬張《こわば》らせていた。

今西とは顔なじみである。

「えらいことが起こりましたね」

今西は同情した。

「ほんとに思いがけないことになって……」

と、おばさんはおろおろ声で言った。

「私はよく知らなかったが、かわいそうに、いい娘さんですな。日ごろから、陰気な女《ひと》でしたか？」

「いいえ、そういうところはなかったようです。ただ、こっちに移ってから長くないし、無口なので、よくわかりませんが、おとなしい上品な娘さんでしたよ」

「劇団の事務員だそうですね？」

「そうです」

「すると、よくあの女の子の部屋には、男の友だちといった若い連中が来ませんでしたか？」

「いいえ」

おばさんは首を振った。

「そういうことは一度もなかったですよ。あの女《ひと》がここに移ってからふた月半ぐらいになりますけど、だれも訪ねてきませんでしたね」

「ほう」

今西は考えていたが、

「部屋に入れなくとも、このアパートの近所で、若い男といっしょだったというところは見ませんでしたか？」

「さあ」

おばさんは首をかしげて、

「どうも、そんなことはなかったようですね」

「ベレー帽をかぶった若い男と、どこかで話していたというところも見なかったですか？」

「ベレー帽ですって？」

「ほら、大黒頭巾《だいこくずきん》のような、あれですよ」

「さあ、そんな人も見かけなかったようです」

今西の記憶の中には、いつぞやの晩、ベレー帽をかぶった若い男が、アパートの彼女の部屋のちょうど下に当たるあたりをうろついている姿がのこっていた。その男は、たしか何かの歌の一節を口笛で吹いていた。

「おばさん、口笛を吹く男はうろついていませんでしたか？　あの娘さんに合図をするような、誘い出すような、そういった調子の口笛です」

「さあ」

これにもおばさんは否定的だった。

「どうも、わたしには憶《おぼ》えがありません」

すると、口笛を吹いたのはあの晩だけだったのだろうか。毎晩のようだと、このおばさんの耳にも必ずはいって印象に残っているはずだった。

今西栄太郎は外に出た。

あれほど、探している女が、つい目と鼻の先にいたのだ。灯台下暗《もと》し、とはこのことである。まさか「紙吹雪の女」が、前に何度か見かけた近所のアパートにいる新劇の劇団事務員とは思わなかった。まるで、夢のような話だった。

しかも、その女が自殺した。今西の驚愕《きょうがく》は、二重だった。

今西の目には、彼女の部屋のすぐ下のあたりをうろついていた、背の高い、ベレー帽の男が焼きついている。

あの時は、何気なく見過ごしてきたが、今となってはもう少し彼の正体を見きわめておくのだった、と後悔した。しかし、もう追っつかない。

アパートの管理人のおばさんにきくと、彼女はいつも一人で、だれも訪問する者がなかったというから、あのとき、ベレー帽の男は、彼女を口笛で外に呼び出していたのであろう。

今西は、この時、ふと、前に秋田県の亀田《かめだ》に行って知った、妙な挙動の男のことが心に浮かんだ。しかし、それはただ浮かんだというだけで、ベレー帽の男と亀田の男とが同一人だ、というところまでの判断はない。

あれは川口にいる妹を駅に送っての帰りだから、十一時を過ぎていた。

今西は、ベレー帽の男の目撃者を近所から聞き出すつもりだったが、遅い時間なので、この辺は早く寝てしまい、目撃者の発見はできないことをさとった。

彼は考えながら歩いた。

なんとかして、その男を見つけることができないだろうか。

自殺した女が劇団の事務員だから、あるいは、その男は劇団関係の人間、つまり俳優ではないか、という考えが起きた。俳優はよくベレー帽をかぶって外を歩く。

ひとつ、これから前衛劇団を訪ねて、自殺した成瀬リエ子の生活や人間関係をききだし、それとなくベレー帽の男を探ってみよう、と思った。

今西は、路地を出て、少し広い通りに出た。それをさらに左に行くと都電の通りに出るのだが、彼の目は、路地を出た所で、正面のすし屋に向かった。

すし屋では、今、店開きの準備にかかっている。若い者が暖簾《のれん》を吊《つ》っていた。

そうだ、あの晩は十一時を過ぎていたから、もしかすると、ベレー帽の男は、このすし屋に寄って、すしでもつまむようなことはなかったろうか。

この考えが起きたので、今西は、すし屋の方へ歩いた。

「お早う」

暖簾を掛けていた若い者が振り返って、今西の顔に頭を下げた。この店は今西を知っているし、ときどき、出前も取っている。

「まだ準備ができていませんが」

と、若者は断わった。

「いやいや、すしを食べに寄ったんじゃないよ」

今西は微笑した。

「ちょっと聞きたいことがあってね。旦那《だんな》はいるかい？」

「へえ、奥で魚を洗っていますよ」

今西は、ごめん、と言って店の中にはいった。

すし屋の亭主《ていしゅ》は、今西がはいったのを見て刺身包丁《さしみぼうちょう》をおいた。

「いらっしゃい」

「お早う」

今西は、まだ掃除最中の店の椅子《いす》に掛けた。

「いそがしいところをすまないがね。ちょっとききたいことがあって来たよ」

「へえ、なんでしょう」

すし屋の亭主は、はち巻をとった。

「だいぶん、日が経《た》っているので、あんた覚えているかどうか知らないが、先月の末ごろ、夜だが、ここに背の高いベレー帽をかぶった男が、すしをつまみに来なかったかい？」

「ベレー帽ね」

すし屋の親父《おやじ》は考えこんだ。

「背の高い男だ」

「人相はどうなんでしょう？」

「人相はちょっとわからないが、俳優じゃないかと思うんだがね」

「俳優ですって？」

「いや、映画の俳優じゃなくて新劇の方だ。芝居だよ」

「ああ」

その言葉ですし屋の亭主はわかったというふうに、景気よくうなずいた。

「来ました、来ました。確かにベレー帽をかぶった俳優さんが来ましたよ」

「え、来た」

今西は思わず覗《のぞ》きこんだ。

「ええ、しかし旦那。そりゃ、かなり前のことですよ。そう、たしか七月末ごろでしたね」

「うむ。で、すしをつまんだのかい?」

「へえ、十一時ごろでしたね。一人でぶらっとやって来ましてね。ちょうど、ほかに若いお客さんが三人ばかりいました。するってえと、その中の若い女が、つかつかとそのベレー帽のところに行って、いきなりサイン帳を出したんです……」

「その俳優の名前は、何と言うんだね?」

「宮田邦郎《みやたくにお》です。前衛劇団の二枚目として売り出してますよ」

「二枚目じゃありませんよ」

と、横から若い者が口を入れた。

「あれは性格俳優ですからね、何でも役を消化《こな》します」

「宮田邦郎だな」

刑事は手帳につけた。

「よく、ここに来るかい?」

「いいえ、あのとき来たきりです」

4

今西栄太郎は、青山《あおやま》四丁目で都電を降りた。前衛劇団の建物は、停留所から歩いて二分とかからなかった。やはり都電の通りである。

劇場になっているので、建物はほかの家から見ると、ずっと大きかった。表には劇団の出しものの看板が掛かっている。正面が観客の出入口になっていて、切符売場があった。今西は、そこで事務所の方角を教えてもらった。

事務所は、建物の正面をまわった横側についていた。普通の事務所のように表がガラスのドアになっている。

「前衛劇団事務所」と金文字で書いてあった。今西は、それをあけた。

はいると、事務所は、狭く、机が五つぐらい並んでいた。すぐ足下には荷物がごたごたと置いてある。壁には劇団の出しものを刷った派手なポスターがいろいろ貼《は》ってあった。

事務員が三人ばかりいたが、一人は女で、二人は若い男だった。今西はカウンターを隔てて言った。

「ちょっと、おうかがいしますが」

声をかけると、女の子が椅子から立ちあがった。十七八ぐらいのスラックス姿の子だった。

「こちらに、宮田邦郎さん、いらっしゃいますか?」

今西はきいた。

「俳優さんですね？」

「そうです」

「宮田さんは来てるかしら？」

女の子は男の一人を振り返った。

「ああ、さっき姿を見たよ。たしか稽古場《けいこば》のほうにいるはずだ」

「おります。どちらさまでしょうか？」

「今西とおっしゃってください」

「ちょっと、お待ちください」

女の子は事務所を抜けて、稽古場との境になっているガラスのドアをあけて奥に消えた。

運よく、ここで宮田邦郎という男を捕《つか》まえたのだ。今西は、煙草《たばこ》を取り出して、煙を吐いた。

事務員二人は、今西などは見向きもせず、ソロバンを弾《はじ》いたり、帳面を見たりしていた。

今西は、ポスターの「地底の人々」という文字を眺《なが》めながら待った。

しばらくすると、奥のドアがあいた。女の子を先にして、背の高い男が現われた。

今西は、その男が近づくまで、こちらからじっと見ていた。まだ二十七八ぐらいである。長い髪をし、模様入りの半袖《はんそで》シャツと、ズボンだけの姿だった。

「宮田です」

俳優は今西に黙礼した。いつも見知らない客に接しているような慣れた態度だった。

「忙しいところ、すみませんね」

今西は言った。

「今西という者です。実は、あなたにちょっとお尋ねしたいことがあるんです。ちょっと、その辺までつきあってくれませんか？」

宮田邦郎は不機嫌《ふきげん》な目つきをしたが、今西がそっと警察手帳を出して見せると、今度はびっくりしたような顔をした。

色は黒いが、目のきれいな、鼻筋の通った、いかにも俳優らしい感じの男だった。

「なに、ちょっと、お尋ねするだけです。ここでは、なんですから」

と、今西は事務所を見回した。

「そこの喫茶店へでもはいりましょうか」

宮田邦郎はちょっと不安そうな表情をしたが、それでも素直にうなずいて、今西のあとから外に出た。

今西は宮田といっしょに近くの喫茶店にはいった。

喫茶店も午前中なので客はいなかった。店の子が窓ガラスを拭《ふ》いていた。

二人は奥まったテーブルに席をとった。

窓ガラスを透《とお》してはいってくる光線から浮かんだ宮田邦郎の顔は、やはり不安そうだった。

今西はちょっと変だなと思った。

刑事が訪問するのは、だれにしても気持ちがいいものではない。ことに、外に連れ出されて何をきかれるかわからないとなると、平気ではいられないだろう。しかし宮田邦郎の表情はもっと不安な影が強かった。

今西は、とにかく、相手の気持ちを楽にさせようとして、雑談から取りかかった。

「私は新劇のことなんか、ずぶの素人《しろうと》でしてね」

今西は軽く笑いながら始めた。

「子供のとき、築地小劇場《つきじしょうげきじょう》というのがありましてね。友田恭助《ともだきょうすけ》さんという人がいて、〈どん底〉という芝居を一度だけ見たことがあります。やっぱり、ああいうものをおやりになるのですか？」

「ええ、まあ、そういったものです」

若い俳優は言葉少なに答えた。三十年前、〈どん底〉を一度だけしか見たことがない男に、現在の新劇の状態を説明しても、むだだとわかったのかもしれない。

「そうですか。いや、なかなかハイカラでしたな。あなたも、やっぱり主役の方をなさっているんですか？」

「いいえ、ぼくなんか駆け出しの方です」

「そうですか、いろいろ大変ですね」

今西は煙草をすすめた。二人は運ばれたコーヒーをいっしょに飲んだ。

「ところで、宮田さん。お忙しいところをご足労かけてすみませんが、稽古の途中じゃなかったんですか？」

「いま、あいています」

「そうですか。ところでつかぬことをうかがいますが、この劇団で女事務員をしていた、成瀬リエ子さんという人をご存じでしょう？」

この瞬間、宮田邦郎の顔の筋肉が、ぴくりとしたようだった。しかし、今西はさっき事務所に行ったときも思ったのだが、この宮田も含めて、劇団の連中は成瀬リエ子の自殺を、まだ知らないようなふうだった。

宮田邦郎が、ぴくりと筋肉を動かしたのは、別な理由であろうと思った。

「宮田さん」

「はあ」

「成瀬さんは自殺しましたよ」

「え？」

宮田邦郎は、目を丸くして、飛びあがりそうな顔をした。彼はしばらく刑事を見つめていたが、

「そ、それは本当ですか？」

と、顔色を変えてどもった。

「昨夜です。ぼくが今朝、検視に立ち会ったので間違いありません。劇団にまだ通知がいっていないのですか？」

「何にも知りません……。そうだ、劇団の事務長があわてて出て行ったとだけは聞きましたが、ではそのことでしょうか？」

「そうかもしれません。あなたは成瀬さんと懇意でしたか？」

窓ガラスにハエが一匹這《は》っていた。

宮田邦郎は、しばらくうつむいて返事をしなかった。

「どうですか？」

「はあ、それはよく知っていました」

「ほほう。いや、宮田さん、ぼくがあなたにおたずねしたいと思ったのは、実は、成瀬さんの自殺の原因に何かお心当たりがないかということなんですがね」

俳優は沈痛な面持ちで顎《あご》に指をかけていた。今西は、その表情をじっとうかがった。

「宮田さん、成瀬さんが亡《な》くなったのは自殺です。これは他殺ではないから、ぼくらが出る幕ではないかもわかりませんがね。だが、亡くなられた方には申しわけないが、成瀬さんの自殺のかくれた原因を、ぼくらは知りたいのですよ。というのは、これはほかの事件に関係がありましてね。それを詳しく申しあげられないのは残念ですが、そんな具合であなたにお尋ねするわけです」

「しかし、ぼくは……」

と、宮田邦郎は低い声で答えた。

「成瀬さんがどういう理由で自殺したか、それはわかりません」

「いや、遺書めいた手記はあるのですよ。それを遺書と言っていいかどうかわかりませんがね。文章から考えると恋愛関係で失望したと言いますか、何かそのような悲劇的な言葉が書いてありました」

「そうですか。で相手の名前は書いてありましたか?」

宮田邦郎は顔を上げて、今西のほうにきらりと目を光らせた。

「それが何も書いてないんです。たぶん、成瀬さんは、死後迷惑をかけたくないという心づかいからではないでしょうか」

「そうですか。やっぱりそうでしたか」

「なに、やっぱりですって? じゃあ、あなたは心当たりがあるんですか?」

今西は、相手の顔の動きを少しも見のがさない目つきになった。

宮田邦郎に言葉がなかった。彼はまた目を伏せ、唇《くちびる》を嚙《か》んでいた。その唇は小さくふるえていた。

「宮田さん。ぼくは、あなたよりほかに成瀬さんの死んだ原因を知っている人はないと思いますがね」

「何ですって?」

俳優はまたびっくりしたような目を上げた。

「宮田さんは外に出られるとき、ベレー帽をかぶりますか?」

今西は、髪の毛を長目に伸ばした、彼の頭を見て言った。

「はあ、それはかぶります」

「あなたはずっと前の晩に、成瀬さんのアパートの近所のすし屋に寄りましたね？」

俳優の顔に新しい動揺が起こった。

「あなたは、そのすし屋でファンにサインをしてやりましたね。そればかりじゃない。あなたは、成瀬さんのアパートの近くで、口笛を吹きながら彼女を誘い出そうとしましたね？」

俳優の顔がみるみる白くなった。

「いや、ぼくじゃありません。ぼくは成瀬君を誘い出したことはありませんよ」

「しかし、あなたは、アパートの下で、口笛を吹いていた。あれは誘い出しの口笛だ。宮田さん、ぼくは、あの晩、あなたの姿も、その口笛も、通りがかりに見たり聞いたりしたのですよ」

今西が、彼をアパートの付近で見かけたと言うと、宮田邦郎の顔は蒼《あお》くなった。

俳優はしばらく黙っていた。その表情に、苦痛が滲《にじ》んだ。

「どうです、宮田さん」

今西は畳みかけた。

「もう、何もかもおっしゃってもらいたいものです。といって、ぼくはあなたをどうかしようと思っているのではありませんよ。成瀬リエ子さんは自殺です。警視庁は他殺の場合でないと動きません。しかしですね。ぼくたちは、成瀬さんをある意味で捜査していたんです」

俳優は、ぎょっとしたような表情をみせた。しかし、黙っていた。

「それは、別な事件に関係したことです。捜査上、詳しいことはちょっと申しあげかねますが、われわれにとっては、重大なんですよ。成瀬さんをその参考人としてぼくらは考えていたのです。そこへ、不意に自殺が起こった、これにはがっかりしましたね」

今西は相手の表情をうかがいながら話をつづけた。

「これはぼくの意見ですがね。成瀬さんの自殺の原因がもしかすると、ぼくらがききたいことに関連しているのではないかと思うんです。どうでしょう、宮田さん。ほんとうのことを言ってくれませんか。成瀬さんがどうして自殺したか」

俳優は顔をゆがめて沈黙を守っていた。

今西は、両肱《りょうひじ》をテーブルの上に立てて、指を組み合わせた。

「あなたはご存じのはずです。だいぶん、成瀬さんとお親しいようでしたからね。いやいや、これは別にどうというわけではないのですよ。ぼくらは、ただ、あなたから成瀬さんの自殺の原因についての心当たりを、ざっくばらんに話していただければ、と思うんです」

今西は宮田の顔を見つめつづけていた。こういうときの今西の目はふだんと少し違っていた。ある加害者は、彼から見つめられると、どうしても白状せざるを得なかったと洩《も》らしたくらいである。人の心の奥まで覗きこむような目つきだった。

宮田邦郎は、もじもじしはじめた。動揺が、彼の体全体を落ちつかなくさせた。今西はその様子をじっと観察している。

「宮田さん、どうでしょう。ひとつ、ご協力願えませんか？」

今西は最後に押した。

「はあ」

宮田はハンカチを取り出して、額の汗をふいた。

「申しあげましょう」

太い呼吸《いき》といっしょに言葉が吐き出された。宮田は今西の前に崩れた。

「ほう、話していただけますか。そりゃありがたい」

「待ってください、刑事さん」

宮田はひきつった声で言った。

「なに、待てとおっしゃる？」

「いいえ、それはいっさいをお話しします。お話ししますが、今ちょっと口に出ないのです」

「どうしてですか？」

「何だか、ぼくの気持ちの中が整理できないのです……刑事さん、成瀬さんの自殺については、おっしゃるようにぼくに心当たりがあります。いいえ、それだけではありません。ぼくはいろんなことをあなたにお話ししたいのです。けれど……今は、それが出ないんです」

俳優の呼吸は苦しそうだった。

第八章　変　事

1

今西は宮田の顔を見つめたままうなずいた。

宮田の気持ちがわからないでもなかった。その表情を見ると、彼は確かに成瀬リエ子のことを、いろいろ知っているらしい。それも他人には秘密といってもいいようなことを彼はつかんでいると思う。

しかも、今西の観察では、宮田は成瀬リエ子に特別な感情を持っているようだった。彼が苦しむのはそのせいだと思われた。

ここで無理押しをすることはなかった。事実、これ以上、宮田を問いつめてみても打ちあけそうになかった。かわいそうなくらい苦しんでいるのである。

しかし、宮田の表情は、確かに今西に何かを話したがっている。彼の言葉には微塵《みじん》も嘘《うそ》はないようだった。

「わかりました。宮田さん、それでは、いつ話していただけますか?」

今西はうなずき返してきいた。

「もう二三日待ってください」

宮田は苦しそうな呼吸をまだ続けていた。

「二三日ですか、もう少し早くなりませんか?」

「………」

「いや、こういうことを申しては何ですが、われわれとしては、一日も早くその事情を聞きたいのです。さきほども言ったように、ある事件が未解決になっています。それが私の担当でしてね。そのためにも、ぜひ、あなたから早く成瀬さんのことを聞きたいのです」

「刑事さん」

と、宮田は言った。

「成瀬君のことが、その事件に関係があるのですか？」

「いや、それはまだわかりません。成瀬さんがそれに関係したということはないんですが、われわれとしては、そこに事件解決の一脈の希望を持っているわけです」

宮田邦郎は、今度は今西の顔を凝視した。こわいような目つきだった。

「わかりました、刑事さん」

と、彼は決断したように言った。

「あなたのお話を聞いているうちに、ぼくも協力したくなりました。ぼくには、あなたが、何をおっしゃるのかその意味がおぼろげにわかるような気がしますよ」

「え、あなたもそう思うんですか」

このとき、今西は、間違いなく宮田が事件の鍵《かぎ》の一つを握っていると思った。

「思います」

と、宮田は言った。

「おそらく、ぼくの想像と刑事さんのお考えとは一致するでしょう……。わかりました。

じゃ、明日お目にかかりましょう。明日、何もかも成瀬君のことについて話しますよ」

ありがたい、と刑事は心に叫んだ。

「明日、どこでお目にかかりましょうか？」

「そうですね」

宮田はしばらく考えていたが、

「明日の晩八時、銀座のS堂の喫茶室でお待ちします。それまで、ぼくも話を整理しておきますよ」

俳優宮田邦郎は、もの悲しそうな声で言った。

今西栄太郎は、翌日の夜八時きっかりに、銀座のS堂喫茶室にはいった。

ドアを押して、入口から内部の全体を見渡した。客は混《こ》みあっていたが、俳優の顔はなかった。

彼は壁際《かべぎわ》のほうに席をとり、入口のほうを向いて腰をおろした。こうすると、入口からはいってくる宮田邦郎をすぐに発見することができるし、先方でも今西の発見が容易なはずだった。

今西は、コーヒーを頼んだ。

ポケットから週刊誌を出して読みはじめたが、ドアの回転のたびに目を活字からあげた。出て行く者、はいってくる者、それを今西は番兵のように凝視した。コーヒーをなるべく手間をかけてすすった。が、とうとう、一ぱいをのみ終わってしまっても、俳優は現われなかった。八時二十分になっていた。

今西は落ちつかなかった。

昨日、あれほど約束したのだから、嘘《うそ》をつくはずはない。俳優という仕事は、セリフの読み合わせだとか、稽古《けいこ》だとか、いろいろと時間的に拘束されるので、時間どおりには来られないのだろう。もしかすると、もう二十分ぐらいは遅れるかもしれない。

今西は入口のドアを気にしながら週刊誌に目を通していたが、おり悪《あ》しく客は混む一方である。はいってきた客が席のふさがっているのを見て、出て行く者が多い。とうに空っぽになった今西のコーヒー茶碗《ぢやわん》をみて、給仕女が早く席をあけろというような目つきをする。

宮田とここで落ちあう約束をしているのだから、どこにも行きようがなかった。

今西は、仕方がなく紅茶を頼んだ。これもたっぷりと時間をかけてすすった。

八時四十分になった。

俳優は現われない。今西は、ようやく、いらいらしてきた。

嘘を言ったのだろうか。いや、そんなはずはない。昨日の顔では、彼は真剣だったのだ。

では、気持ちをひるがえしたのだろうか。それはあり得る。昨日の彼の悩みからみると、後悔して、約束を破ったとも考えられる。

いや、それはあるまい。こちらには彼の所属が前衛劇団とわかっている。彼もそれはよく知っているから、とにかく、今夜は全部を話さないにしても、何かの連絡には来るはずだ。

電話でもかけてくるかもしれない。

今西は待った。

電話がかかり、客の呼び出しはあったが、今西の名前はなかった。

紅茶が空になった。

意地悪く、客は次から次にはいってくる。

今西は、フルーツポンチを頼んだ。

が、運ばれた品は半分も食えなかった。腹がだぶだぶになっていた。

一時間経《た》った。

今西は諦《あきら》めきれなかった。何とかして宮田の話を聞きたい。犯人に協力して、血痕《けっこん》のついたスポーツシャツを刻んで撒《ま》いた女――その女の秘密を一番よく知っている宮田から一切を聞きたい。

今西は、それからもじりじりしながら待った。

2

今西栄太郎は、六時に目がさめた。

このごろは、年のせいなのか、こういう時間にかならず目があく。前の晩、どんなに遅くても、また事件で走りまわっていても、六時になると、一度は必ず目がさめるのだ。

その朝も、やはり、その時刻に目があいた。

妻も太郎もまだ眠っていた。

今西は、昨夜のことを考えてばかばかしくなった。あれからも、S堂を出て、相手が遅れてくるような気がして、外で待ったのだ。ふしぎなもので、自分が帰ったすぐあとに相手がやってくるような未練が起こって、ずるずると、しばらく立っていたのだ。

が、結局、待ちぼうけだった。

なぜ、宮田邦郎は約束を違《たが》えたのか。

俳優のことだから、何かの突発的な用事ができて来られなかったのかもしれない。

が、待ち合わせた場所がS堂とわかっているのだから、電話の連絡ぐらいありそうなものだった。それもなかったのだ。劇団に電話してみたが、みんな帰ったあとらしく、だれも出なかった。

宮田邦郎は、急に気持ちを変えたのだろうか。会ったときも相当悩んでいたことだし、一切をお話ししましょう、と決心して言ったときも、今西に一日の猶予《ゆうよ》を頼んだくらいだ。よほど話すのに決心がいるようだった。

それくらいだから、あとで約束をひるがえすことはありうる。宮田邦郎は、今西から本当に逃げたのかもしれない。

が、今西はべつに腹も立てなかった。こういう仕事をしていると、今までも、たびたびそういう目に会っている。刑事の仕事というのは、根気と忍耐が必要なのだ。

今朝は出勤したら、すぐに前衛劇団に行ってみるつもりだった。一昨日《おととい》は聞きそびれたが、まだ彼の住所を知っていない。劇団で聞いて、彼の自宅に回るつもりにしていた。

とにかく、宮田邦郎は、あの成瀬リエ子の何かを知っている。それも彼女にとって「いいこと」ではない。そこに成瀬リエ子と犯人とのつながりが潜《ひそ》んでいるように思う。

今西は、床の中で一ぷく煙草をすい、それから寝床をはいだして玄関に行った。新聞が格子戸《こうしど》の間に半分挟《はさ》まっている。彼はそれを持って、また寝床に戻《もど》った。

今西は、新聞を広げた。

目をさました直後の一とき、寝床で煙草をすいながら仰向いて新聞を読むのは、たのしみの一つである。

職業柄《がら》、彼はすぐ社会面を開いた。近ごろは、警視庁でも、さしたる事件もなく、したがって、記事も低調だった。どっちでもいいようなことが大きく扱ってある。

今西の目がまん中のところで、急に止まった。

二段抜きぐらいの見出しだが、それが彼の残っている眠気を殴った。

「新劇俳優路傍に死す

ケイコの帰り心臓麻痺《まひ》で」

今西は、その見出しの横についている顔写真を見つめた。

やや面長《おもなが》の顔が笑っていた。一昨日、会ったばかりの宮田邦郎だった。写真の説明にも、その名前がついている。

今西は、嚙《か》みつくように記事を読みはじめた。

「八月三十一日夜十一時ごろ、世田谷区粕谷《かすや》町××番地付近で、会社重役杉村伊作《すぎむらいさく》さん（四二）が、自家用車を運転して帰宅の途中、ヘッドライトに映し出された死体を発見。直ちに所轄成城署《しょかつせいじょうしょ》に届け出た。検視の結果、所持品から、死体は前衛劇団の俳優宮田邦郎さん（三〇）と判明。死因は一応心臓麻痺と判明したが、今日一日東京都監察医務院で解剖に付する。

宮田さんは、前衛劇団で当日夕刻六時半ごろに稽古をすませ、同劇団を出たものである。

前衛劇団杉浦秋子《すぎうらあきこ》さんの話。宮田さんは新進の俳優の中で将来有望な人で、近ごろはファンもかなりついてきて、われわれも楽しみにしていたのですが、残念です」

今西は棒で目を突かれたような気がした。

宮田邦郎は死んだ――。

今西は声も出なかった。

新聞記事だけでは詳しくはわからないが、宮田の死因は心臓麻痺だという。時が時だった。実際に心臓麻痺だったのだろうかという疑問がすぐに湧《わ》いた。

昨夜、あれほど宮田を待っても来ないはずである。その時刻には、すでに死亡していたのかもしれない。

今西は目の前が乱れた。

宮田邦郎が死んだ。あまりにもタイムリーすぎた。これは偶然だろうか。

今西は寝床を蹴《け》って起きた。

妻を急がせて朝飯を夢中でかきこんだ。

「どうかしたんですか？」

女房《にょうぼう》がふしぎがった。

「何でもない」

今西は火事場に出勤する火消しのように、手早く身支度をした。

家を出たのが八時半だった。

宮田邦郎の死体は、もう成城署に置いてないはずである。大塚《おおつか》の東京都監察医務院は、九時から仕事を始める。そっちへ駆けつけた方が早い。

大塚駅から歩いて十分ほどの監察医務院に着いたのはそれでも九時を少し過ぎていた。

医務院の前はきれいな庭になっているが、建物の中はうす暗い。待合室にはだれかの遺族らしい男が二人、不安そうにすわっていた。彼はまっすぐに医務課長の部屋に行った。

「やあ、しばらくですな」

医務課長は今西の挨拶《あいさつ》を受けて顔を向けた。愛想がよく、いつも笑顔をみせてものを言う人だった。

「先生、さっそくですが、昨夜の成城署の変死は、もうこちらに仏さまが来ていますか？」

「ええ、昨夜《ゆうべ》遅く来たようですな」

「で、開くのはいつからですか？」

「ここんところ、つかえているので、午後になるだろうと思いますよ」

「先生、何とかそれを早くやっていただけませんか？」

「ほほう。しかし、あれは病死でしょう。一応、念のために行政解剖するというだけだが、それに何か疑問が起こったのですか？」

「少し妙な心当たりがあります」

「すると、自然死ではなく、殺しの線が強いというわけですか？」

監察医は今西の捜査手腕を知っていた。

解剖は、今西の頼みを聞いて、一番にやってくれた。

用意ができる間に、今西は、成城署からまわってきた書類に目を通した。新聞記事とあまり違わない経過が書いてあった。彼は考えながら待っていた。

若い医員が来て、今西を促した。彼は狭い通路を通って、階段を降りた。

解剖室まで行くのに、途中で靴《くつ》にカバーをはく。はいるとすぐに待合室だった。そこからは、ガラス戸越しに解剖室が見える。もう、白い着物を着た医員が五六人集まっていた。

コンクリートの土間になっている中央に解剖台があった。一人の男が真っ裸になって仰向けに寝ている。蒼白《あおじろ》い体だった。

宮田邦郎との、思いもよらない対面だった。長い髪が台の上にもつれて下がっている。瞳《ひとみ》を開き、口を少しあけていた。苦しそうな顔つきだった。

この口だ。もう少し彼の死が遅かったら、何もかもこの口から聞けたのだった。おりもおり、宮田邦郎は、なぜ、急死したのか。

今西は死体に合掌した。

医員たちは、死体を中心にそれぞれの位置についた。解剖医は、死体の外景の所見を述べはじめた。助手は鉛筆を動かして記録を取った。

その口述が終わると、医者は死体の胸から下にメスを入れた。中心線に沿って、Y字型に、皮膚を一気に裂いた。血が滲《にじ》み出た。

それからの進行は、今西がこれまでたびたび立ち会って見てきたとおりである。

まず、腹腔《ふくこう》臓器が調べられた。腸、胃、肝臓が仔細《しさい》に点検された。それぞれがメスで切り放され、体内から取り出された。腸は長い紐《ひも》になって水溜《たま》りの中で洗われながら泳いだ。

この間に、助手は太い鋏《はさみ》で肋骨《ろっこつ》を切りはじめた。こういう順序が進行している間にも、解剖医は所見の口述をつづけている。肋骨は音を立てて切断され、押し上げられた。窓が開いた。そこから肺と心臓部がのぞいた。医者は、心膜を別な鋏で切りはじめた。監察医は、心臓を取り出して、入念に調べはじめた。拳《こぶし》大ぐらいの心臓は灰赤褐《はいせっかつ》色《しょく》をしていた。それにメスが入れられた。

今西は身じろぎもせず見つづけていた。異臭が鼻をついたが慣れていた。別の助手は、胃を取り出して裂き、内容物の検査をしていた。一人の助手は、茶褐色の肝臓を刻んでいた。

長い時間だった。

最後に、頭部が切られ、頭蓋骨《ずがいこつ》がふたをあけた。宮田邦郎の長い髪の毛が、仰向いた顔の上にべろりと蔽《おお》いかかった。円形の中から、美しい薄桃色の球《たま》が薄紙に包まれてのぞかれていた。脳髄《のうずい》だった。

今西は、いつもこれを見るたびに、人間の脳髄の美しさに感嘆する。セロハンに包んだ高価な南洋産の果実を見るようだった。

今西は、監察医がなおも検査をつづけているとき、ようやく解剖室から出た。彼の額に汗が滲んでいた。

元の廊下に戻って、窓から外を見ると、青葉が風にそよいでいた。明るい陽射《ひざ》しと、新鮮な空気だった。

今西は、生きている喜びを改めて知った。

窓から外を見ていた今西は、後ろから肩を叩《たた》かれた。

手術着を脱いだ解剖医だった。

「どうも、先生、ご苦労さまでした」

今西はおじぎをした。

「ありがとう。ちょっとこっちに来てください」

監察医は今西を一室に通した。周囲の壁がしみでよごれている。

「今西さん、せっかくですがね」

と、監察医は微笑しながら言った。

「あれは、心臓麻痺に間違いありませんよ」

「え、やっぱり、そうですか？」

今西は医者の顔を見つめた。

「ええ。あなたから申し入れがあったので、われわれは特に入念に調べたのですがね」

監察医は笑った。

「どこにも外傷はないし、暴力を加えられた痕跡《こんせき》はありません。また胃袋を調べたのですが、毒物反応もないんです」

「ははあ」

「腹腔臓器にも異常はないのです。心臓部はやや肥大して、この人は、もしかすると軽い弁膜症《べんまくしょう》にかかっていたのではないかと思える痕《あと》があります。すべての臓器を検査してみて、異常の部分を消してゆくと、結局、心臓麻痺だったということに落ちつくのです。実際、それを証明するように各臓器には鬱血《うっけつ》が見られましたよ」

「それは、どういうことですか？」

「つまり、心臓が急に停止したので、血液の循環がそのまま止まって、そこに鬱血を起こしたわけですね。肺、肝臓、脾臓《ひぞう》、腎臓《じんぞう》などには、そのかなりな徴候がありました」

「すると、やっぱり、心臓麻痺の自然死ということですか？」

「私の検査する限りでは、まあ、そういうことになりますね。ほかに死因が見当たらないのですよ。むろん、外力をもって攻撃を加えられたという個所は一つもありません」

「そうですか」

今西は考えこんだ。その様子がいかにもがっかりしたように映ったのであろう。医者は逆にきいた。

「今西さんは、どういう点に不審を持ったんですか?」

そうきかれると、今西にも、適当な返事ができなかった。まさか、重大な証言を聞く前に、当人が急に死んだから死因がおかしい、とは言えなかった。ただ、一つの疑惑だけは言えた。

「本人は自宅で死んだのではなく、路傍で死体になっていたのを発見されたそうですね?」

「そうです。成城署からそういう連絡があったので、われわれは運搬車をもって、現場に駆けつけたんです。それが何か変なのですか?」

「いや、いま、ちょっと思いついただけです。当人が自宅で発病して死亡したのなら、あまり疑いを持たぬのですが、路傍で死んだことが引っかかるのです」

「いや、今西さん、そりゃあ、ときどき例のあることですよ。ことに急性心臓麻痺というやつは、所を選びませんからね」

言われてみると、今西にも抗弁する言葉がなかった。事実、宮田邦郎は、その病気で急死したことが、解剖という科学的な方法で証明されたのである。

俳優宮田邦郎の自然死は決定的だった。

「どうも、われわれは職業意識が出て、一応は疑ってみる癖が出て困ります」

今西は監察医に言った。

「それはもっともです。ぼくらだってここに運ばれてくる死体は、全部、他殺だと思ってみていますからね。だから、検査が自然と厳密になるわけです」

監察医のこの意見には、今西も同感した。

今西は医者に礼を述べて、医務院を出た。

今西はそれから成城署に行った。ここで宮田邦郎の死体が発見された事情をきいたのだが、それは新聞記事とあまり違いはなかった。

発見されたとき、宮田邦郎は道ばたにうつ伏せになっていたというのだ。付近は家数が少なかった。

死亡推定時刻は午後八時から九時の間で、これは監察医務院の解剖所見と一致している。

午後八時といえば、宮田邦郎が今西と約束してS堂に来る時間なのだ。それなのに彼は何の用事で世田谷あたりを歩いていたのであろうか。

今西は、今でも宮田が約束を違《たが》える意思がなかったと思っている。彼が世田谷を歩いていたのは、彼の意思でない別な理由が、そこに彼を来させていたのではあるまいか。

彼の意思でない理由――。

たとえば、彼がだれかの家を訪問していて、時間が遅くなったということも考えられる。その訪問先とは、やはり世田谷近辺であろう。

今西はとにかく宮田邦郎が倒れていた現場に行ってみることにした。

成城署から現場までは、それほど遠くはなかった。彼はバスに乗って到着した。なるほど、あたりはまだ住宅の少ないぽつんと取り残されたような田園地域だった。成城署員の書いてくれた略図を頼りに、俳優が倒れていたという地点に立ったのだが、それはバスが通る国道から一メートルばかり畑にはいりこんだところだった。

向こうの雑木林《ぞうきばやし》の下には、もう、ススキの穂が白く出ていた。

立っていると、自動車の数は多いが、歩いている人は少なかった。これだと、夜はきっと寂しいところに違いない。

宮田邦郎はタクシーにも乗らずに、ここを歩いていたのだろうか。いや、それは不自然である。ことに、今西との約束を考えていたとすれば、彼は当然タクシーに乗っていなければならなかったのだ。

もっとも、別な考え方もある。

訪問先がすぐこの近所で、宮田がここでタクシーの空車を待ち合わせていた、という想定だ。これだと現場の不自然さが少し薄れる。

では、宮田はだれを訪ねて、この世田谷の奥に来たのだろうか。しかも、それは、今西との約束を破るくらいに大事だったのだろうか。

今西は、宮田が自分に会う前にだれかを訪ねて、自分に聞かせる話を、さらにその人によって確かめたのではないか、という気がした。

今西は前衛劇団を訪れた。

亡《な》くなった宮田邦郎のことをききたいというと、事務所の人は今西を杉浦秋子のところにとおした。

新聞や雑誌の写真で見ている杉浦秋子は、愛想《あいそ》よく今西を迎えた。この劇団の主宰者であり、大女優の彼女は煙草《たばこ》をすいながら言ってくれた。

「宮田さんは、その日の六時半まで劇団で新作の舞台稽古をしていました。そのときは、別段、苦しそうな様子はありませんでしたよ。だから、死んだと聞いて、ほんとうと思えなかったくらいです」

「日ごろ、心臓に病気を持っていたということはありませんか？」

「ええ、そういえば、あまり丈夫ではなかったようですね。初日前は徹夜で稽古をやることもありますが、そんなとき、疲れやすかったようです」

「六時半に稽古を終わって、それから、どこかに出掛けるというようなことは洩《も》らしませんでしたか？」

「さあ、わたしはよく知りませんが」

ここで大女優はベルを押して若い俳優を呼んだ。それは宮田邦郎と親しい友人らしかった。

「この人ね、山形《やまがた》さんと言うんです」

と、彼女は紹介した。

「ね、あんた。宮田さんは昨夜ここを出るとき、どこかに行くようなこと言っていなかった？」

若い俳優は手を前に組み合わせて直立していた。

「はあ、そうですね。八時から銀座でだれかに会わなければならない、と言っていました」

「八時に銀座で？」

今西は思わず口を入れた。

「そのときの宮田さんの様子はどうでした？」

に必要な用事があって行っていたに違いなかった。

それは、宮田邦郎が死んだ場所と正反対のところだった。やはり、彼は世田谷付近
「駒込？」

「あいつは駒込《こまごめ》のアパートにいるんです」

「宮田さんの家《うち》はどこですか」

も、何もそんなことは言いませんでした」

「いや、それは聞きませんでした。ぼくらは劇団の前で別れたんですがね、そのとき
大事な質問だった。

か？」

「その銀座に出る前に、どこかに回っていくというようなことは言いませんでした
では、やはり宮田邦郎は今西との約束を守るつもりだったのだ。

「実は、ぼくが誘ったんですが、彼はそう言って断わったんです」

山形という俳優は、今西の方に目を向けて答えた。

「はあ、それは確かにぼくが聞きました」

「ほんとうにそう言っていましたか？」

「別段、変わったことはありませんでしたよ。普通のとおりです。あっ、そういえばこんなことを洩らしていました。今夜、銀座である人に会わなければならないが、弱ったな、と洩らしていました」

宮田邦郎は、やはり最後まで今西に成瀬リエ子のことを話すのが苦になっていたのだ。

「つかぬことをうかがいますが」

と今西は、今度は杉浦秋子に顔を向けて、

「こちらの女子事務員で成瀬リエ子さんという方がおられましたね？」

と言った。

「ええ」

と、杉浦秋子は深くうなずいて、

「物静かな、気だてのいい子でしたけど、急に、自殺してしまいましてね」

「その自殺の原因ですが、杉浦さんには何かお心当たりはありませんか？」

「いいえ、それなんですよ。わたしもね、ふしぎだと思って団員にきいたんですが、みんな事情を知らないんです。わたしは、成瀬さんを直接にはよく知っていないので、よくわかりませんが、事務所の人が知っていやしないかと思ってきいてみたんです。

でも、みんな心当たりがないと言うんですよ」

「失恋自殺じゃないでしょうか？」

「さあ」

杉浦秋子は微笑《ほほえ》んだ。

「わかりませんわ。せめて、わたしに遺書でも残してくれたらよかったのですが」

「妙なことをうかがいますが」

今西はきいた。

「成瀬リエ子さんと宮田邦郎さんとは、仲がよかったということはありませんか？」

「さあ、そんなことはないと思いますわ……。ねえ、そんな話、聞いたことがないわね？」

杉浦秋子は傍《そば》に立っている若い男優を振り返った。すると、彼は薄ら笑いを浮かべた。

「いえ、実は、そういうことも、噂《うわさ》にはのぼっていました」

「何ですって？」

杉浦秋子は目を光らせた。

「いえ、二人が特別に仲がよかったという意味ではないんです」

口をすべらせた男優は弁解するように言った。

「成瀬さんの方はそうでもなかったようですが、宮田君の方は相当熱心なようでしたよ。それは、われわれにも目についていました」

「へえ、呆《あき》れたわ」

杉浦秋子は顔をしかめた。

この説明は今西を納得させた。彼は前に成瀬リエ子のアパートの下で、口笛を吹きながらうろついている宮田邦郎を見ている。その印象のかぎりでは、宮田の方が成瀬リエ子に執心していたというのはわかるのである。

だが、成瀬リエ子はあきらかに失恋的な文章を綴《つづ》って死んでいる。

その相手が宮田邦郎でないことは確かだ。すると、成瀬リエ子が死を決するほど心を寄せていた相手は、いったいだれだろうか。

今西は、ここで成瀬リエ子に別に恋人があったかどうかをきいた。

「さあ、そういうことは、なかったんじゃないでしょうか。まあ、ぼくらにはよくわかりませんが」

と、俳優は答えた。

「成瀬君は、性格的には地味な方でしてね。いま言った宮田君の場合でも、相手にしなかったといった方が正しいでしょう。もし、彼女の自殺が失恋となると、われわれの知らない人物になりますね」

「そうね、成瀬さんは俳優ではなく、事務員ですから、わたしもよく知らないんだけど、そんな恋人があったという様子は見えなかったわね」

杉浦秋子も口を添えた。

劇団のだれもが知っていない成瀬リエ子の恋人――。

それこそ今西が知りたい蒲田殺人事件の犯人だった。

3

座談会は夜の八時半に終わった。評論家、関川重雄は会場の料亭《りようてい》を出た。門灯の陰に黒い大型の自動車《くるま》が待っていた。

「関川先生」

と、雑誌社の編集者が言った。

「これからまっすぐお宅にお帰りになりますか?」

「いや」

関川は微笑した。

「少し寄るところがありますから」

「では、どちらまでお送りしましょうか？」

「池袋《いけぶくろ》まで送っていただければ結構です」

「それでは、吉岡《よしおか》先生と同じ方面ですから、ごいっしょに願いましょう」

作家の吉岡静枝《しずえ》女史が、小柄《こがら》な体を関川のすわっている横にすべりこませてきた。

「途中までごいっしょさせていただきますわ」

吉岡女史は四十を越えているが、独身のせいもあってずっと年よりも若くみえる。この女流作家はどういう理由《わけ》か、いつも外出着にシナ服をえらんでいた。それが一番自分に似合いだと自信を持っているらしい。

主催者側の見送りを受けて、自動車《くるま》は会場の赤坂から議事堂横の坂道をのぼった。

「関川さん」

吉岡女史は少し甘ったるい声を出した。

「今夜、初めて関川さんにお目にかかって、ほんとうにわたくし、ありがたかったわ。一度、ぜひお目にかかりたかったんです」

関川はむっつりして煙草をすった。

「この間、あなたのお書きになった評論を拝見して、わたくし、感心しました。いえ、ほんとなんですの。近ごろ、わたくしは自分で書いてて、自分の方向がわからなくなりましたの。そこへ、あなたがお書きになったものを拝見させていただいて、何だか、自分のすすむべき道がわかったような気がしましたの」

「そうですかね」

「ほんとうですわ。いつもお書きになっていらっしゃるのを気をつけて拝見しているんです。この間のものなんか、ずいぶん、教えられましたわ」

女史は、窓から流れてくる街灯にシナ服の艶《つや》を光らせていた。

「今夜の座談会でも、あなたのお話はとてもご立派でしたわ。わたくし、ほんとうに今夜来てよかったと思います」

女史はつづけた。

「わたくしは、座談会などはほんとうに嫌《きら》いなのです。ふだんは断わるのですが、今日、関川さんがごいっしょだと聞いて、急にそれを引き受けたのですわ。やはり、新しい時代の文学というものを、吹きこまれたような気がします」

女史は饒舌《じょうぜつ》をつづけた。

「わたくし、関川さんにお目にかかれて、何だか、これからいいものが書けるような気がするんです」

四十すぎの女流作家が、二十七歳の青年評論家に、尊敬をこめ、体を寄せていた。

「それは、結構ですね」

関川は口もとに皮肉な薄ら笑いを漂わせていた。

女史はそれからも口を動かした。新しい文学に自分たちも目を向けなければならないこと、それには、しっかりした理論を持たねばならぬこと、また、それゆえに、関川からいろいろと教えてもらいたいことなど、彼女の住居である番町《ばんちょう》に来るまで、止めどもなくしゃべりつづけた。

女流作家は途中で降りた。関川は鼻の先に冷笑を浮かべていた。

自動車《くるま》は池袋の近くに来た。運転手は、どの辺にとめたらいいかを客にきいた。駅前でいいと関川は答えた。

駅前からタクシーに乗り換えた。

運転手には志村《しむら》の方に行くように命じた。電車の軌条《きじょう》がヘッドライトに当たって光りながら流れてくる。関川はぼつねんと煙草をすっていた。

しばらくすると、道は上りにかかった。「志村坂上」という都電停留所の赤い標識が見えてきた。ここで、関川は降りた。

電車道は高い土地になっている。人家の灯が斜面の下の谷にともっていた。

関川は電車道から分かれている道を曲がった。

暗いところに若い女が立っていた。彼女は関川の影を認めて急いで寄ってきた。

「あなた？」

関川は黙ってうなずいた。

「やっと来てくださったのね。嬉《うれ》しいわ」

女は関川の横にすり寄って歩いた。

「待ったかい？」

「ええ、一時間ばかり」

「座談会の方がひまどってね」

「だろうと思いましたわ、わたしも。もしかすると、来てくださらないかと心配していました」

関川は返事をしなかった。女は関川の腕を求めて手を脇《わき》にかけた。

「今夜は店を休んだのかい？」

関川は低い声で言った。

「ええ、だって、あなたにお会いするんですもの。不自由ね、夜の職業をもっていると」

「今度の下宿はどうだ？」

「ええ、とってもいいわ。下のおばさんが親切にしてくれるの。前よりはずっといいわ」

「そうか」

二人は黙って歩いた。

灯がいよいよ少なくなった。

「たのしいわ」

と、女は言った。

「あなたにお会いしているときだけよ、わたしの仕合わせは。こんなときだけ充実感があるの」

関川は沈黙していた。

「あなたには、そんなことはないでしょうけど」

「………」

「ね。わたし、もう先《せん》から気づいているんですけれど、あなたは、こうしてわたしとつきあっている以外、ほかにも好きな方があるんじゃない？」

「そんなことはない」

「そうかしら。でも、ふっとそう考えるの、わたしの邪推かしら？」

「邪推だよ」

「いいえ。でも、それが、自分の直感と思うことがあるわ。そんな考えが起こったとき、できるだけそれを消そうと思うんですけれど、やっぱり拭《ぬぐ》えないわ」

「そんなに、ぼくを信用できないのか？」

「いいえ、それは信用しますわ。でも、わたしの直感が当たってていいの。わたしは、あなたにとって唯一《ゆいいつ》の女でなくてもいいのよ。ほかに好きな方がいてもかまわないわ。ただ、わたしをいつまでも放さないでね。ね、わたしを捨てないでね」

向こうに旅館の灯が見えてきた。

二人はその家を出た。

恵美子《えみこ》は、関川の腕にすがりつくようにして歩いていた。暗い道だった。

黒い闇《やみ》の向こうに電車の音が寂しく聞こえた。

「あら、まだ都電がありますのね」

恵美子は関川の肩に頰《ほお》をつけて言った。

「終電だろうね」

関川は煙草を口から捨てた。赤い火が地面に小さく光った。

恵美子は空を見た。星が一面に出ていた。

「もう遅いんだな。あんなところに、オリオンが来ている」

関川は言った。

「オリオンっていう星、どれ？」

「ほれ、あれだよ」

関川は片方の指で空を差した。

「マストの灯《ひ》のように、星が縦にきれいに三つ並んでいるだろう。それを取り囲むようにして、四つの星がとりかこんでいる」

「ああ、あれ？……」

「秋になると、あの星が出てくる」

立ち止まった二人は、また、ゆっくりと歩き出した。

「冬になると、あの星座が澄んだ空気のなかに、きらきら光るんだ。あいつが出るころになると、ああもう秋になったんだな、と思うよ」

「星にも詳しいのね？」

「そうでもないさ。子供のころ、ある人がいてね、もう死んだけれど、その人がいろんなことをぼくに教えてくれた。星のことだってそうだ。ぼくの田舎は山に囲まれていてね、空が狭いんだ」

　関川は話した。

「それで、夜、近くの山の頂上に登って、その人が星を教えてくれたもんだ。そこに登ると、狭い空がいっぺんにひろがって、とてもたのしかったよ」

「あなたのお郷里《くに》は、そんなに山の中なの」

「うん、山の中だ。三方が山に囲まれていてね。一方だけしか空がひらいていない」

「なんていうところ？」

　関川は黙った。

「言っても、君にはわからない」

「どちらの方ですか。そうそう、秋田県だと、何かの本に書いてありましたわね」

「秋田県か、まあ、そういうことになっている」

「変ね、そういうことになっているって？」

「そんな話はどっちでもいい。とにかく、君が言うように、ぼくみたいな仕事は、いろんなことを知っていなければならない」

　関川は話をかえた。

「明日の晩は、また音楽会にひっぱり出されて何か書かされるんだ」

「お忙しいのね。どこの音楽会ですの？」

「和賀の音楽会だ。新聞社から頼まれたから、つい、気軽に引き受けたが、ちょっと気が重いよ」

「和賀さんの音楽って、すごく新しいんでしょう。なんですか、前衛音楽とかって……」

「そうだ、ミュージック・コンクレート（具体音楽）というんだ。今までも、それを先駆的にやった人はいる。和賀は、そこに目をつけてはじめたんだがね。どうせ、奴には、そんなことしかできない。独創というものが全然ないんだよ。他人のものをあとから割りこんで横取りする。こりゃあ楽だ」

4

舞台には、緋色《ひいろ》のカーテンがおりていた。

装飾といえば、その中央に奇怪な形の彫像が置かれてあるだけだった。それは、雪が降ったように真っ白い。白と緋色との対照は、こよなく強烈に見えた。

彫像のかたちを、言い当てるのは、たいそうむずかしい。洞窟《どうくつ》かと思えば、そうではなく、宇宙の形象かと思えば、それとも違っているし、荒野になだれ落ちた巨木の根かと思えば、それとも言いがたかった。要するに、形そのものがないと言っていい。

形象の観念は、前衛彫像には不必要なのだ。

彫像と言ったが、これは、新しい前衛生け花なのである。〝ヌーボー・グループ〟の一人の彫刻家が、盟友の和賀英良のために、今夜のリサイタルの「舞台」を飾ったのである。

音楽会を想像する人間には、これが演奏会とはとうてい思えなかった。なにしろ演奏家が一人もいないのである。声は、その彫像を置いたカーテンの奥から聞こえているのだ。

演奏の出口は、しかし、中央だけではなかった。観客の頭の上からも、脚の下からも、押し包むように音が迫ってくる。これは立体的な効果のため、それぞれの位置に、スピーカーが取りつけられてあるのだった。

音楽は奇怪な音を、この××ホールの聴衆の頭上に流していた。いや、この言い方は適当でない。音楽は下のほうからも湧《わ》きあがっているのだから。

聴衆は解説書を読んでいた。そのことによって作曲家の意図を知り、現在流れている音楽を理解しようと努力していた。

聴衆は多かった。ほとんどが若い人ばかりで占められている。ここでは、深刻そうに頭を垂れて瞑目《めいもく》している顔はない。古い、高名な音楽を聞くのではなかった。譜面を追う既成の鑑賞は必要でないのだ。新しい音楽が、今やここに聞こえている。

曲名は「寂滅《じゃくめつ》」というのだった。釈迦《しゃか》が、入寂《にゅうじゃく》するとき、あらゆる生物が慟哭《どうこく》し、天地が、哭《な》いたという説話が、この「音」のモチーフらしい。和賀の今夜のリサイタルでは、これが最後の番組になっていた。

その音色は、あるいは唸《うな》り、あるいは震え、あるいは喚《わめ》き、あるいはたゆたった。それが強く、弱くつづくのだ。金属性の音も、人の哄笑《こうしょう》に似た声も、そこでは分解され、総合され、緊迫し、弛緩《しかん》し、休止し、高潮していた。

聴衆は、うっとりとこの音楽に聞き入っているとは言いかねた。どの人間も、新しい音楽を理解しようとして顔をしかめ、肩を張っていた。

聞いていると、難解だが、たいそう新しさがあるように感じられた。あたかも理解を越えた抽象画の前に立たされたような、当惑と無知と爽快《そうかい》さとが、どの表情にも交錯していた。

知的で、重苦しい音楽会だった。人びとは耳よりも頭脳の労働に疲労した。理解しがたいという表情は、ここでは現わしてはならないのである。そのような点で、聴衆のだれもが、この音楽の前に劣等感に陥っていた。

音楽は終わった――。

盛んな拍手が起こった。舞台にきらびやかに並んだオーケストラのいないのが、その拍手の行方を当惑させたが、やがて、称賛の相手が舞台の右側から現われた。黒い背広を着た和賀英良だった。

関川重雄は楽屋に行った。

ドアをあけたところから人でつまっていた。それでなくても狭い部屋だ。まん中に机を三つ並べ、ビールとオードブルの皿《さら》とが置いてある。それを囲んで大勢の人間が身動きできないで立っていた。

煙草の煙と話し声とが充満していた。

「よう、関川」

すぐ横から肩を叩《たた》かれた。建築家の淀川龍太だった。

「遅いじゃないか」

関川はうなずき、人の肩の間に体を斜めに入れて前に出た。

和賀英良は舞台で挨拶《あいさつ》したままの黒い洋服で中央に微笑して佇《たたず》んでいた。横には純白のカクテルドレスをきた田所佐知子が並んでいた。白い細い頸《くび》には真珠の首飾りが三重になって巻きついている。その凝《こ》ったデザインのドレスといっしょに、そのまま舞台に押し出してもいいくらい晴れやかに美しかった。

「おめでとう」

関川は人を分けて和賀の正面に出た。

彼は主役の友人に笑いかけた。

「ありがとう」

和賀はビールを手に持って会釈《えしやく》した。

関川は目を、横の女流彫刻家に移した。

「佐知子さん、おめでとう」

「ありがとうございます」

これはフィアンセだから和賀と同じ答礼をしてもおかしくはなかった。

「関川さん、いかがでした？」

佐知子は下から覗《のぞ》きあげるように関川を眺め、瞳《ひとみ》を微笑《わら》わせた。

「あら、でも何だかこわいわ、ご意見をうかがうのが」

「辛辣《しんらつ》な批評家に、ここで何か言わせるのはやめたがいいな」

和賀が冗談めかして引き取った。

「とにかく、おめでとう、と言ってくれたのだからね。いまは素直にそれを受けるよ。

もっとも、君のおめでとうは、聴衆の入りがよかったことを、祝ってくれていると、ぼくは用心深く解釈しているからね」

「結構じゃないか」

関川は応じた。

「当節、これほどの客を集めたリサイタルはなかったからね」

「ほんとにすばらしかったわ。ね、関川先生、音楽がすてきだから聴衆がいっぱいはいりますのね」

歌手の村上順子の声が関川のすぐ後ろから進み出た。体はいつものことながら緋色のスーツだった。派手な顔立ちに自信をもっているので、笑い顔も大胆であでやかだった。ステージに立つと、舞台映えのする、寸法の大きな顔である。

「そういうことになるでしょうね」

関川は笑い声で同意した。

「さあ、先生。コップをお持ちあそばせよ」

関川は歌手にお酌《しゃく》のサービスをしてもらった。

彼は、多少大げさにコップを目の高さまで捧《ささ》げ、和賀と佐知子とに自分の瞳を等分に分けた。

「成功で、おめでとう」

佐知子がけたたましく笑った。

「関川さん、紳士ね」

「ぼくはいつも紳士ですよ」

関川は佐知子の言葉も、それに含まれている意味も正面から受けた。

楽屋での簡単な乾杯だったが、それが祝賀会みたいに賑《にぎ》やかだった。

とにかく、大変な人である。和賀英良を中心に、何重にも取り囲んでいた。それも、あとからあとから人が詰めかけてくるのだ。ドアがしめきれず、あけたままでないと収容しきれなかった。

「凄《すご》い人気だな」

関川の耳もとに、建築家淀川龍太がささやいた。

「音楽家はいい。おれなんか、いくら家を建てても、こんな派手な会はしてくれないからな」

建築家の羨望《せんぼう》は無理もなさそうだった。音楽愛好者だけではなく、全くそれに係《かか》わりもない人物が、和賀の周囲に顔を並べているのである。それも年輩者が多かった。

「あの連中は」

と、淀川が小声で言った。

「みんな、田所佐知子のおやじの関係者ばかりだ。お婿《むこ》さんも大変だよ」

「そう羨《うらやま》しがるな」

関川は、和賀のほうへは背中を向けて離れていた。

「当人にとっても迷惑な話だ」

「いや、和賀の顔つきをみると、そうでもないよ」

淀川はつづけた。

「ずいぶん、満足そうじゃねえか」

「いや、あれは、自分の芸術がより多くの人間に認められたのでうれしがっているのだ」

「君らしい皮肉だな。しかし、いったい、今夜の客の何人が和賀のミュージック・コンクレートを、解していたかね？」

「君、ものは気をつけて言うものだ」

と、関川はたしなめた。

「いや、ぼくは、君のようにうまい言いまわしはできない。正直なことをそのままにしか言えない男でね」

建築家は少しあかい顔になった。

「変なこと言うね」

「実際だ。なにしろ、おれ自身がよくわからなかったんでね」

「前衛建築をやっている君がか？」

「君の前だから、恥を考えなくてもいい」

「民衆は」

と、批評家関川重雄は意見を言った。

「つねに先駆的な難解に閉口するが、そのうち、それになれてくる。その順応が理解の中へ導いてくれるのだ」

「あらゆる芸術がそうだということを、和賀の場合にも君は当てはめるのかね？」

「個人的な問題はよそう」

関川は中心をはずした。

「とにかく、ここでは礼儀がある。ぼくの言いたいことは、あとで、新聞ででも読んでもらおうか」

「君の本音をだね？」

「まあね。とにかく、お互いいろいろなことを言うが、和賀は立派だよ。やりたいことを思うままにやれるからね」

「しかし、それは、彼の恵まれた環境のせいじゃないかな。だれだってあれくらいに条件がいいと、自信が出るもんだよ。実際、とんとん拍子だからな。田所大臣のお婿さんというだけでも、こりゃあジャーナリズムが、黙ってても振り向いてくれる」

「関川さん」

背の高い新聞社の男が、関川の腕をつついた。

「明日の朝刊ですからね、夕方の五時ごろまでには必ず書いといてくださいよ」

『和賀英良の作品発表会を聞いた。聴衆の顔には、あいかわらず戸惑った表情が多い。無理もない。舞台には一人の演奏家がいるわけではなく、楽器が一つ置かれているのでもない。あるのは、照明と、抽象彫刻だけである。音はスピーカーによって、頭上や、背後や、足もとから耳に圧縮される。ミュージック・コンクレートは、完全に弦楽器や管楽器の世界と縁を切った。そこにあるのは、真空管の発振音による音階の制作であり、磁気テープによる人工的な調整――リズム、強弱、漸増、漸減、衝動などの組織・構成である。作曲家の精神的生産が、電子工学という物質的生産手段に結合するのである。在来の管弦楽器に得られない音色を、この方法で追求し、その豊かな素材を表現として造型する上に、果たして、その理念が追いつくかどうかが目下の問題である。聴衆の顔はそう言いたげである。前衛作曲家のグループは、理論理論と言っているが、音楽のすべての主要なパラメーターにおける組織的変奏の作曲という思想は、作曲家の理論や着想とは別個のものだ。この新しい前衛的な手法が、単に演奏家を要求する理由がなくなってしまったという副次的な問題を、皮肉にも作曲家自体の観念不在に置き替えそうである。少なくともその危険はある。

和賀英良の今度の発表会を聞いてこの危険を感じるのは、ひとりぼくだけであろうか。感覚的な発想という精神は、工学的技法という工業と分離し、観念が工業技術に振り回される感想を、ここでもぼくは持たざるをえなかった。電子音楽によって芸術的な表現が不可能だ、という先験的な理由はないにしても、完全に素材を駆使するまでの純粋芸術的な芸術以前の問題に、彼らはもう本気に取り組まねばならないのではないか。つまり、現在において、彼らはあまりに数理的操作に気を奪われすぎて、観念がひたすらその後を奉仕する傾向が見られる。現実に内在する内的感覚を、この新しい音楽法則に帰納させるということは容易な仕事ではない。しかし、だからといって、現在の在《あ》り方を安易にうけ入れることはできない。ぼくの言い方は少しきびしすぎるかもしれないが、それは常に先駆者に投げつけられる過酷な栄光である。和賀英良はこの発表会でも、そのモチーフを、仏教説話や古代民謡などの東洋的瞑想《めいそう》、あるいは霊感的思想に求めた。しかし、その着想的衣装《いしょう》の古めかしさは常に新しきものが古典に循環するという通俗的現象をまぬがれなかった。しかも、その音列の設定は人工的秩序に従っているのみで、内的意欲とはほど遠いのである……』

今西栄太郎は、ここまで辛抱して読んで、あとを投げた。新聞にのっている活字は、まだ、三分の一残っている。しかし、とても終わりまで読みつづける根気はなかった。彼には、何のことかさっぱりわからない。食卓を前にしてやっとそこまで読む気になったのは、関川重雄という、この論者の顔写真が目にふれたからだった。ついでに、この論者が批評している和賀英良というのも、今西には無縁ではない。

いつぞや、東北に出張したとき羽後《うご》亀田《かめだ》駅で見かけた若い連中の仲間だった。あのとき吉村刑事がその名前を教えてくれた。颯爽《さっそう》とした彼らの若い姿が、今でも目に浮かぶ。そうだ、この写真のとおりの顔だった。

若いのに、よっぽど頭がいいにちがいない。今西などには理解を越えた文章だった。

今西は、残りの飯を口に入れ、茶碗に茶を注《つ》いだ。

5

今西栄太郎は都電を吉祥寺町《きちじょうじまち》でおりた。

死んだ俳優宮田邦郎の住所は手帳に控えてある。駒込《こまごめ》××番地というと吉祥寺のすぐ傍《そば》だった。かなり古めかしいアパートだが、ここが、ひとり者の宮田が住んでいた家だった。

アパートの持ち主の細君が出てきた。警視庁の者だと言うと、心配そうな顔をしていた。

「亡《な》くなった宮田さんのことを、ちょっと尋ねにきたのですが」

今西が言うと、

「それは、ご苦労さまです。あの、宮田さんがどうかしたのですか？」

今西が上にあがらないので、入口の横手の陰で、二人は立ち話をした。

「いや、別に宮田さんがどうしたというわけではないのですがね」

今西はもの慣れた調子で相手の気を軽くさせた。

「わたしは宮田さんのファンでしてね。惜しいことで亡くなって、がっかりしましたよ」

「ほんとうに」

主婦は答えたが、まだ不安そうな顔色が残っていた。

「お宅には、どのくらい居ましたか？」

「そうですね、もう三年にもなりますかしら」

「役者は舞台から離れると、生活がわれわれの想像よりも違うものですが、宮田さんはどうでしたか？」

「ええ、それは良い方でしたよ。おとなしくて、几帳面《きちようめん》でしたわ」

主婦は当たりさわりのない賞《ほ》め方をした。

「友だちを呼んできて騒ぐようなことはなかったのですか？」

「そういうことはあまりなかったようです。心臓がよわいとかで、お酒もあまり飲まなかったようですし、とても体を大事にしていました。俳優さんにしては、珍しく物静かな人でしたよ」

「つかぬことをききますが、宮田さんはこの五月の中旬ごろ、東北の方に旅行したようなことはありませんでしたか？」

「ええ、ありましたわ」

主婦は即座に答えた。

「なに、ありましたか?」

今西は電灯がともったように目を輝かせた。

「それは、本当ですか?」

「間違いありません。わたしは秋田の土産をもらいましたからね、蕗《ふき》の砂糖漬《さとうづけ》とこけしでした」

「それなら間違いはないですな」

今西はこみあげる喜びを隠した。

「やはり、それは五月中旬ですか?」

「そうです。そのころでした。待ってください、わたしの日記を見てみます」

「ほほう、日記をおつけですか。それなら正確だ」

今西はうれしくなった。主婦は部屋のなかにはいったが、すぐに出てきた。

「五月の二十二日に宮田さんから、お土産をもらっております」

主婦は、土産のことだけを日記につけたらしい。

「それは戻《もど》ったときですね。すると、宮田さんの東北旅行は何日ぐらいでしたか?」

「そうですね、四日ぐらいだったと思います」

「そのとき、宮田さんは何か言いませんでしたか?」

「芝居がちょうど空《す》いているので、この際、遊びに出掛けてくると言っていましたが、帰ってからはじめて旅行先が秋田だということがわかったのです」

「荷物はどうでした?」

「何だか知りませんが、スーツケースにいっぱい詰めこんでいたようでした。ふくれあがっていましたからね」

今西は、アパートを出ると、公衆電話で蒲田署の吉村刑事を呼んだ。

二人は渋谷で落ちあった。ちょうど、午《ひる》になっていたので、そば屋にはいった。

「なんだか、大きな獲物《えもの》があったような顔ですね?」

吉村は、今西の表情を見てきいた。

「うむ、君にもそう見えるかね?」

「そりゃ見えますよ。ひどくうれしそうですよ」

「そうかい」

今西は苦笑した。

「実はね、吉村君、君と東北に出張したときの目的が、やっと今日果たせたよ」

「へえ」

吉村は目を丸くした。

「あの男がわかったのですか?」

「わかった」

「よくわかりましたね。どこから手がかりがあったんですか?」

吉村の言うあの男とは、むろん亀田の町をうろうろしていたという妙な男のことだった。干しうどん屋の前に立ったり、川のほとりに寝ころんだりしていた、土地で見かけない、一見、労働者ふうの中年男だ。

「手がかりは、ぼくのカンだよ。これはぴたりと当たった」

「くわしく聞かせてください」

注文したザルそばが運ばれてきたので今西の言葉は途切れた。

「実は、こないだ、新劇の俳優が心臓麻痺《まひ》で死んでね」

「ああ、新聞で読みましたよ。宮田邦郎っていうんでしょう」

「そうだ、そうだ。君、知ってたのか?」

「名前だけは知っていますよ。もっとも、新劇はあまり見ませんがね。死んだ記事だけ読んで覚えています。将来有望な新人だった、と書いてありましたから」

「その男だよ」

「えっ、何ですって?」

吉村刑事は、手から箸《はし》を落としそうにした。

「その宮田が、あの亀田の妙な男なんだ」

「どうしてそれがわかりました？」

「まあ、ゆっくり話すよ」

今西は、箸にそばをつりあげて茶碗に浸し、口の中にすすった。吉村もそのとおりに見習った。しばらくは、そばをすする音が両方でつづいた。

「実はね、吉村君」

今西は、茶を一口飲んで言った。

「今朝、新聞を見ると、ぼくたちが帰りがけ亀田駅で出会った、ほら、ヌー……」

「ヌーボー・グループですか？」

「そうだ。そのヌーボー・グループの一人が新聞に出ていた。いや、その人とは関係のないことだがね。連想というのは妙なものだ。ぼくはね、宮田邦郎という男を、ちょっとマークしていたんだ。いや、理由はあとで話すよ。とにかく、そのマークした男が、大事な時に死んでね。もとより、心臓麻痺だから怪しむところはないんだが、こいつ、俳優だな、と今朝の新聞を読んだとき連想がそこへ行った。俳優だったら、どんな演技でもできる。扮装《ふんそう》だって自由だ。ことに新劇の俳優だからね。奴《やつ》、もしかすると、亀田に行ったんじゃないか、こういう考えがぼくの頭にひらめいた」

「そのとおりだったんですね？　宮田邦郎が秋田に行ったことは確実ですか？」

吉村は、今西の顔をのぞきこむようにしてきいた。

「アパートに寄ってね、そこの持ち主の奥さんから証言を得たんだ。宮田邦郎は、五月の十八日ごろから、秋田に四日間行ってる。奥さんは、日記をつけているから間違いはない、と言うんだがね。そら、ぼくたちが秋田に行ったのは、五月末だっただろう。だから、日づけはだいたい合うんだ。死人に口なしで、当人から聞くわけにはいかないが、こりゃあ間違いはない」

今西は残りのそばをすすった。

「そうでしたか。しかし、よく宮田邦郎のことに気がつきましたね」

「そこが連想だよ。今朝、あのヌーボー・グループのむずかしい論文を読んで、思い出したのだ。その新聞を読んだというのも、亀田の駅で見かけたというなつかしさからだ。すると、こないだから調べていた宮田邦郎と秋田とが、ふいと結びあったわけだ」

「うまく、今西さんのカンが的中したわけですね」

「いや、そこまではいいんだ。問題は、宮田邦郎が何のために亀田に行ったか、ということだよ」

「そうですね」

「彼は亀田に行って何もしていない。いや、何もしていないのが、あるいは彼の目的だったかもしれないのだ。妙な、労働者のような格好をして、あの町を徘徊《はいかい》している。もとより宮田邦郎の生地《きじ》の服装ではない。しかも向こうの人たちはみんな言っていたね、その人はいつもうつむいて、まともに顔を見せなかった、とね」

「あっ、なるほど」

「しかし、それでも、あんな田舎ではどことなく目立つところがあったらしいね。女中の一人は〝色は黒いが鼻すじの通った顔立ち〟だと、かなり正確に、彼の容貌《ようぼう》をとらえていたよ」

今西と吉村とは、互いに相手の目に見入った。

「わかりませんね。いったい何のためにそんな変装などして亀田をうろついていたのでしょう？」

吉村が今西に言った。

「わからない。とにかく、宮田は何もしなかった。ただ歩いてるだけだった。他人《ひと》の家の横に立ち止まったり、川のほとりで寝ていたり、そんなことばかりしていた」

「待ってください」

吉村は額に手をやった。

「それが目的だったんじゃないですか。つまり、宮田邦郎は、そういう姿を人に見せたかったのではないでしょうか？」

「そのとおりだ。ぼくもそう思うよ」

今西はうなずいて答えた。

「宮田は、亀田の人に、その姿を見せにいったのだ。言いかえると、彼は、人の印象に残るように振舞ったのだ。そうだろう。ただその町を通るだけだったら、だれの目にも印象は残らない。だから、彼はわざと何か人の目に立つようなことばかりをしている」

「何のためですか？」

「ぼくらは、宮田邦郎のその扮装にだまされた」

と、今西は相手の質問には、じかに答えないで言った。

「噂《うわさ》は、土地の警察の耳にはいった。これは、蒲田殺しでこちらから依頼したから、土地の刑事が聞込みをやってわかったのだが」

そこまで言いかけると、吉村の目が光ってきた。


（下巻へつづく）

表記について

新潮文庫の文字表記については、原文を尊重するという見地に立ち、次のように方針を定めました。

一、旧仮名づかいで書かれた口語文の作品は、新仮名づかいに改める。
二、文語文の作品は旧仮名づかいのままとする。
三、旧字体で書かれているものは、原則として新字体に改める。
四、難読と思われる語には振仮名をつける。

なお本作品中には、今日の観点からみると差別的表現ととられかねない箇所が散見しますが、著者自身に差別的意図はなく、作品自体のもつ文学性ならびに芸術性、また著者がすでに故人であるという事情に鑑み、原文どおりとしました。

（新潮文庫編集部）

砂《すな》の器《うつわ》（上）

新潮文庫　ま－1－24

昭和四十八年三月二十七日　発行
平成十八年十月二十五日　九十五刷改版
平成三十年三月五日　百十一刷

著者　松《まつ》本《もと》清《せい》張《ちょう》
発行者　佐藤隆信
発行所　株式会社新潮社
郵便番号　一六二―八七一一
東京都新宿区矢来町七一
電話　編集部(〇三)三二六六―五四四〇
読者係(〇三)三二六六―五一一一
http://www.shinchosha.co.jp

価格はカバーに表示してあります。

乱丁・落丁本は、ご面倒ですが小社読者係宛ご送付ください。送料小社負担にてお取替えいたします。

印刷・東洋印刷株式会社　製本・加藤製本株式会社

ISBN978-4-10-110924-4 C0193